El poder curativo de los
JUGOS

Adelaida de la Rua

El poder curativo de los JUGOS

intermedio

*Este libro tiene como objetivo ofrecer información
que le permita al lector tomar decisiones sobre su salud.
No pretende sustituir la atención médica ni debe utilizarse
como un manual para autotratamiento.
Si usted sospecha que tiene un problema médico,
le recomendamos buscar ayuda profesional lo antes posible.*

© 2000, ADELAIDA DE LA RUA
© 2000, INTERMEDIO EDITORES, una división de
 CÍRCULO DE LECTORES S.A.

Una realización de la Gerencia de Contenido de la CEET

Editor general: Gustavo Mauricio García Arenas
Editora asistente: Mónica Roesel M.
Producción: Ricardo Iván Zuluaga C.
Diseño y diagramación: Claudia M. Vélez G.
Diseño de carátula: Harvey Rodríguez
Fotografía de carátula: Arsenio Palencia
Corrección tipográfica: Jesús E. Delgado
Ilustraciones: Juan Pablo Vergara y Édgar Caballero

Licencia de Editorial Printer Latinoamericana Ltda.
para Círculo de Lectores S.A.
Avenida Eldorado No. 79-34
Bogotá, Colombia

Impresión y encuadernación: Editorial Nomos S. A.
ISBN 958-28-1168-4
 B C D E F G H I J

A los amigos que siempre me acompañan
con sus consejos, recetas familiares y experiencias,
mi más profunda gratitud. Gracias también a los lectores
por seguir apoyando el trabajo de alguien que cree
en los inmensos poderes de la naturaleza.

A. DE LA RUA

CONTENIDO

Una planta que ha demostrado su utilidad
se convierte en herencia de todos los pueblos;
recorrerá los continentes siguiendo a la tribu
nómade en sus peregrinaciones; sus semillas
irán en la alforja del conquistador de tierras incógnitas,
o en la mochila de los cautivos llevados como esclavos
lejos de su patria; y las recogerán con avidez los exploradores
mejor que joyas para llevarlas a su suelo natal.

—Enrique Pérez Arbeláez

INTRODUCCIÓN
¡A su salud!

En algún momento, a lo largo del día, recurrimos a un vaso de jugo. Bien sea al desayuno, a la hora del almuerzo, en la mañana o en la tarde, los jugos están presentes en nuestras vidas. Los zumos de naranja, limón, piña, guayaba, se han convertido en fieles amigos, compañeros confiables, aliados incondicionales y fuente de sensaciones para los sentidos. Se encuentran con facilidad en cualquier lugar porque en nuestros países, la tierra es pródiga en frutas y plantas. Son tan importantes que han dado nacimiento a toda una industria que los ofrece en pulpa, en botellas, en cajas y en latas que intentan envasar las delicias naturales.

Hoy, ese universo de los jugos se ha ampliado al incluir las verduras. Su entrada en el escenario de las bebidas caseras ha enriquecido las posibilidades de sabores, colores y texturas y ha abierto un nuevo mundo de opciones nutricionales y gastronómicas. Ambas, frutas y verduras, se han convertido en una alternativa que pasa la prueba de los paladares más exigentes y de los nutricionistas más rigurosos.

La elaboración casera de jugos es una práctica muy común en los países tropicales. Sin embargo, en la actualidad, esa costumbre se extiende por todo el mundo y ha dado origen a investigaciones y bibliografía especializada así como de interés general. Es que esas agradables bebidas ofrecen ventajas como su sencilla preparación, su digestión fácil y su contenido de nutrientes benéficos. Son, además, una forma de incrementar el consumo de verduras y frutas. Por supuesto, los jugos no deben suplantar el uso de productos vegetales, cuya inclusión en la dieta diaria es muy importante. Más bien, se trata de apoyar ese menú diario con grandes dosis de vitaminas y minerales benéficos para el organismo.

La preocupación por los temas de la salud y la búsqueda de un bienestar integral ha hecho que en los últimos tiempos se revalúen los conocimientos y prácticas tradicionales, que en el pasado estaban más cerca de lo natural. De igual forma, han despertado el interés por nuevas experiencias gastronómicas que reporten nutrientes aliados de la salud y protectores ante la enfermedad. Definitivamente, hoy las personas se preocupan más por conocer o ampliar los temas que tienen que ver con el poder energético y curativo de los alimentos.

Este libro presenta diversos conocimientos sobre una nueva alternativa para la nutrición y la salud. También ofrece ideas para variar las bebidas de verduras y frutas y salir de la rutina, con el fin de utilizarlas en nuestro provecho y para que nos hagan compañía en la enfermedad. Con este propósito se ha dividido *El poder curativo de los jugos* en varias partes.

Las primeras páginas, dedicadas a introducir al lector en el tema, explican la importancia de estas bebidas y sus valiosos contenidos de nutrientes. De igual manera, se incluyen tablas e información sobre cada uno de los elementos que, aunque no vemos, están presentes en frutas y verduras y actúan en nuestro cuerpo. Sigue a este capítulo el desarrollo de un tema bautizado

"Los jugos y su salud", que expone de forma sintética los elementos más importantes para lograr una dieta equilibrada. Presenta, igualmente, los nutrientes básicos de la alimentación y concluye con los puntos esenciales sobre estas maravillosas bebidas.

La tercera parte se relaciona con la preparación de estas bebidas y los puntos a tener en cuenta cuando se elaboran jugos, como la selección de los utensilios y de los ingredientes. Las páginas siguientes, "Sólo frutas y verduras", están dedicadas a reseñar las plantas, sus características, contenidos, usos curativos y precauciones (si son necesarias) y es una importantísima introducción a "Jugos fáciles para dolencias comunes", capítulo que ofrece recetas prácticas y efectivas en el tratamiento de algunos padecimientos.

Concluye este libro con páginas de apoyo al lector, como una guía o índice de los padecimientos tratados, dos páginas con las frutas y verduras reseñadas, su nombre científico y su traducción al inglés. Como es ya tradicional, se incluye un glosario, que seguramente ayudará a ampliar algunos conceptos utilizados. La bibliografía también es de interés para quienes deseen seguir explorando este universo de los jugos.

La selección de las frutas y verduras tratadas en esta obra fue muy difícil porque la riqueza de las primeras, en estos países de climas cálidos, es impresionante y porque la oferta de las segundas ha aumentado en estos últimos años. Como en toda selección, probablemente habrá algunas ausencias importantes; sin embargo, es una recopilación útil que tiene en cuenta las costumbres de las familias y la oferta de alimentos en los mercados. De igual forma, hace énfasis en algunas frutas consideradas por los países de estaciones como "exóticas" y que, aunque menos estudiadas, son muy valiosas.

Por último, invitamos a entusiasmarse con esta nueva opción deliciosa para nuestros sentidos en olor, sabor, color y textura, a participar de todos los beneficios que ofrecen las frutas y verduras y a hacerlas parte de la cotidianidad. Esperamos que la lectura de estas páginas despierten su curiosidad por experimentar y encontrar nuevas combinaciones y fórmulas de aplicación de estas protagonistas del reino vegetal.

A. DE LA RUA

LOS SECRETOS
DE LOS JUGOS

LOS SECRETOS DE LOS JUGOS
Grandes maravillas en un vaso

Los jugos, especialmente los de frutas, aparecen entre los primeros alimentos que consumimos después de la leche materna y, con seguridad, están presentes en nuestros más lejanos recuerdos infantiles. Durante la infancia, la adolescencia y la vida adulta consolidamos esa amistad y desarrollamos fidelidades por ciertos sabores. Es muy frecuente empezar el día con un jugo de naranja, de guayaba, de fresa o de aquella fruta abundante en el mercado gracias a las cosechas. Incluso, a veces, acudimos a las bebidas de frutas fabricadas industrialmente, porque sentimos la necesidad de degustar algo fresco en la mañana.

Pero además del placer que produce un jugo fresco, otras razones señalan la importancia de profundizar en este tema. Se trata de los beneficios que es posible obtener para la salud y la vitalidad. Los jugos frescos son más que una increíble fuente de nutrientes esenciales para la vida porque gracias a su forma líquida, estas bebidas constituyen suplementos nutritivos que no demandan energía para su propia digestión, como ocurre con las frutas enteras, las verduras, las hierbas y otros alimentos. El resultado es que el organismo puede fácil y rápidamente disponer de todos sus compuestos nutritivos.

Sabemos, por sentido común, que los jugos frescos son mucho más saludables que otras bebidas como los refrescos, las gaseosas o el alcohol. Sin embargo, algunas personas pueden ignorar que los jugos empacados en botellas, latas o cartón, no ofrecen las mismas ventajas y, en ocasiones, no son lo que aparentan ser. Por ello es importante prestar atención a las marcas y formas de producción de esta clase de jugos. De todas maneras, hay un punto muy claro: los jugos frescos, preparados al instante y en el hogar, no sólo resultan insuperables en calidad y valor nutricional, sino que así garantizamos la calidad y la pureza de esta bebida, a diferencia de las producidas industrialmente. Además, estos jugos hogareños son los únicos que permiten tratar ciertos padecimientos y se pueden incorporar a un plan nutricional.

Las magníficas cualidades de las frutas y las verduras pueden concentrarse en un vaso para prevenir enfermedades, mejorar o mantener nuestras condiciones físicas y darle gusto a nuestro paladar. Pueden ser un excelente suplemento y convertirse en verdaderas aliadas de la salud. Muchos conocemos sus beneficios o los hemos experimentado, por ejemplo, con el jugo de manzana fresca o de ciruela, que constituye un estupendo laxante, como lo afirmaba la sabiduría popular de las abuelas. También hemos tenido noticias de los efectos del famoso jugo de zanahoria, el cual, por su altísimo contenido de provitamina A, contribuye a sentirnos fuertes y con energía y a mejorar nuestra visión. La lista, que podría ser muy extensa es, en definitiva, materia de este libro. Resulta interesante añadir que el repertorio de jugos terapéuticos aumenta día tras día y que las diferentes disciplinas médicas los están incorporando en el tratamiento de diversas enfermedades.

A pesar de todas las ventajas mencionadas, debe dejarse en claro que estas bebidas no son "mágicas". Su acción en cuanto a nutrición y salud es muy positiva, pero los beneficios sobre el organismo a largo plazo sólo pueden lograrse cuando forman parte de una dieta equilibrada y de una vida donde el ejercicio físico es importante.

Infortunadamente, el hombre moderno, sometido a un ritmo de vida vertiginoso, con frecuencia descuida su nutrición, utiliza pocos alimentos frescos en la dieta y, en cambio, consume abundantes alimentos procesados, ricos en grasas y proteínas, además de otros componentes. Para compensar algunas deficiencias de nutrientes en el organismo, muchos nutricionistas prescriben píldoras sintéticas de multivitaminas y minerales. La mayoría de estas vitaminas, obtenidas de diferentes derivados del petróleo, se parecen a las vitaminas de los alimentos pero contienen muy poca actividad biológica. De igual forma, las vitaminas sintéticas no son absorbidas tan bien como las naturales.

Las fuentes naturales superan de lejos a las sintéticas. La naturaleza ofrece gran variedad de nutrientes en las frutas, verduras, hierbas, brotes, etc., de calidad y sabor incomparables. Además, el cuerpo humano absorbe un jugo en minutos y su preparación requiere muy poco tiempo.

La conclusión acerca de los beneficios nutricionales y los poderes curativos detrás de estas maravillosas bebidas, es que se trata de uno de los mejores inventos en materia de alimentos. Usted podrá comprobarlo al utilizar las diversas sugerencias incluidas en este libro.

LOS JUGOS Y LA NUTRICIÓN

Los jugos de frutas y verduras frescas son una maravillosa fuente de vitaminas, minerales, enzimas, agua pura, proteínas, carbohidratos y clorofila. Todos estos elementos, muy importantes para la vida y el bienestar, los trataremos de forma sucinta en las siguientes páginas.

Si desea ampliar este y otros temas, lo invitamos a consultar *El poder curativo de las vitaminas y los minerales, El poder curativo de las frutas* y *El poder curativo de las verduras,* libros que pertenecen a esta misma serie.

VITAMINAS, GENEROSO REGALO DE LA NATURALEZA

Las vitaminas han sido definidas como sustancias orgánicas imprescindibles en los procesos metabólicos que tienen lugar en la

nutrición de los seres vivos. Aunque no aportan energía, apoyan los procesos bioquímicos que la liberan a partir de los alimentos.

Llevan el nombre de *micronutrientes* porque el organismo sólo requiere pequeñas cantidades, en comparación con las de otros nutrientes como los carbohidratos, las proteínas, las grasas y el agua. Normalmente son utilizadas dentro de las células como precursoras de las coenzimas, a partir de las cuales se elaboran miles de enzimas encargadas de regular las reacciones químicas que sustentan las células.

El cuerpo humano es incapaz de producir las vitaminas y, por esa razón, cada día las personas deben procurárselas con los alimentos. Así, resulta indispensable una ración diaria de vitaminas para satisfacer las necesidades del organismo y mantenerlo saludable. Como en todo, existen excepciones; la vitamina D es una de ellas, puesto que se puede formar en la piel con la exposición al sol. Las otras excepciones son las vitaminas K, B_1, B_{12} y el ácido fólico, producidas en pequeñas cantidades en la flora intestinal.

Como ya lo mencionamos, existen vitaminas fabricadas en laboratorio, conocidas como vitaminas sintéticas. Desde el punto de vista químico no hay notables diferencias; sin embargo, las de origen natural no contienen ingredientes artificiales, punto que deben tener en cuenta las personas de especial sensibilidad. Tampoco sus efectos son similares a los de aquellas obtenidas directamente de la naturaleza.

FUNCIÓN DE LAS VITAMINAS

Gracias al conocimiento que sobre las vitaminas han acumulado con paciencia y esfuerzo los científicos, investigadores y nutricionistas, hoy sabemos que las vitaminas son un compuesto orgánico, efectivo en pequeñas cantidades. También sabemos que constituyen una especie de combustible que brinda energía a procesos esenciales como el metabolismo, el crecimiento y la reparación. Puesto que las personas necesitan cantidades muy pequeñas de un amplio espectro de vitaminas, la deficiencia de sólo una puede rápidamente producir síntomas asociados con la enfermedad.

Los jugos frescos son una magnífica fuente de vitaminas y otros importantes nutrientes. Incorporados en una dieta equilibrada que incluya variedad de ellos así como de alimentos enteros, puede procurar la cantidad adecuada de vitaminas y nutrientes que requiere un óptimo estado de salud. A continuación aparece una breve descripción de algunas vitaminas; aunque existen muchas más, se han seleccionado aquellas que pueden ofrecer una buena introducción al tema.

Vitamina A

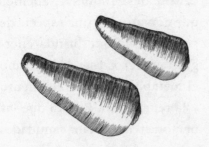

La vitamina A o retinol, es importante porque promueve el crecimiento y el desarrollo, favorece la visión, limpia de toxinas, mantiene la piel saludable y ha sido asociada con la prevención del cáncer. Los jugos frescos de zanahoria o los llamados jugos verdes, contienen grandes cantidades de provitamina A (betacarotenos). La provitamina A es convertida por el hígado en retinol. A diferencia de la vitamina A sintética (tóxica en altos porcentajes), la provitamina A de fuentes naturales es segura aun en grandes cantidades.

Algunas frutas y verduras ricas en todo tipo de carotenos presentan una fuerte coloración (verde oscuro, rojo y anaranjado), como la espinaca, el brócoli, la zanahoria, la papaya, el melón, etc. La leche materna de los primeros días después del parto, el calostro, contiene una enorme cantidad de carotenos, fácil de apreciar por el color amarillo de esta leche.

▪ *Algunas frutas y verduras ricas en vitamina A*
Cien gramos de los siguientes alimentos corresponden en microgramos (equivalentes en retinol), a:

ALIMENTO	VALOR EN µg/100 g
Zanahoria	2.000
Espinaca cocida	1.000
Perejil	1.160
Batata o boniato	670
Otras verduras (tomate, lechuga, etc.)	130

Fuente: Raciones Dietéticas Recomendadas (RDA-EE.UU.) y FAO-OMS (Helsinki, 1988)

Complejo B

Las vitaminas del complejo B constituyen un grupo que trabaja unido para ayudar al cuerpo a digerir y usar la energía contenida en los carbohidratos. También tiene la capacidad de promover la resistencia a las infecciones.

Esta extensa familia está compuesta por la vitamina B_1 o tiamina; la vitamina B_2 o riboflavina; la vitamina B_3 o niacina; la vitamina B_6 o piridoxina; la vitamina B_{12} o cobalamina, además de PABA, biotina, colina, ácido fólico, inositol y ácido pantoténico. Entre todos los alimentos, los granos enteros se destacan como la mejor fuente natural de vitaminas del complejo B. Sin embargo, los jugos frescos, especialmente los verdes, los preparados con brotes y frutas cítricas, contienen cantidades significativas de vitaminas del complejo B, en especial si son elaborados con un extractor de jugos.

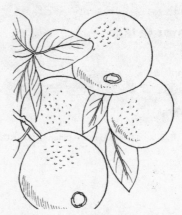

Las siguientes tablas, que relacionan algunos alimentos y su correspondiente valor en miligramos y microgramos, son apenas una guía que ayuda a entender mejor las fuentes de estas versátiles vitaminas.

Algunos alimentos ricos en vitaminas del complejo B

▪ *Vitamina B$_1$*

Cien gramos de los siguientes alimentos equivalen en microgramos a:

ALIMENTO	VALOR EN µg/100 g
Levadura de cerveza (extracto seco)	3.100
Garbanzo	480
Lenteja	430
Ajo	200

Fuente: Raciones Dietéticas Recomendadas (RDA-EE.UU.) y FAO-OMS (Helsinki, 1988)

▪ *Vitamina B$_2$*

Cien gramos de los siguientes alimentos equivalen en microgramos a:

ALIMENTO	VALOR EN µg/100 g
Levadura de cerveza	2.070
Germen de trigo	810
Coco	600
Salvado	360
Huevo	310
Lenteja	260

Fuente: Raciones Dietéticas Recomendadas (RDA-EE.UU.) y FAO-OMS (Helsinki, 1988)

- *Vitamina B₃*

Cien gramos de los siguientes alimentos equivalen en miligramos a:

ALIMENTO	VALOR EN mg/100 g
Levadura de cerveza	58
Salvado de trigo	29,6
Germen de trigo	5,8
Orejón o albaricoque seco	5,3

Fuente: Raciones Dietéticas Recomendadas (RDA-EE.UU.) y FAO-OMS (Helsinki, 1988)

- *Vitamina B₆*

Cien gramos de los siguientes alimentos equivalen en microgramos a:

ALIMENTO	VALOR EN µg/100 g
Lenteja	600
Garbanzo	540
Avellana	450
Plátano	370

Fuente: Raciones Dietéticas Recomendadas (RDA-EE.UU.) y FAO-OMS (Helsinki, 1988)

■ *Vitamina B12*

Cien gramos de alimento y su equivalente en microgramos:

ALIMENTO	VALOR EN µg/100 g
Hígado	68,0
Paté de hígado	23,4
Yema de huevo	3,6
Pollo	0,9
Leche	0,3

Fuente: Oberbeil, 124-125

Vitamina C

El ácido ascórbico o vitamina C proporciona múltiples beneficios y por eso popularmente se le califica como una "panacea". Hay que destacar su gran eficacia como aliada de la salud y como protectora de las células y las moléculas del organismo. Se le utiliza para aliviar y prevenir diversas enfermedades que incluyen desde resfriados hasta enfermedades cardiovasculares. Ha sido ampliamente documentado su poder como antioxidante y su función protectora de nervios, glándulas, articulaciones y tejidos conectivos de la oxidación; también asiste en la absorción del hierro. Todas las frutas y verduras contienen, en mayor o menor grado, vitamina C.

Sin embargo, las frutas (en especial cítricos y bayas) son las principales fuentes de esta vitamina. También se encuentra en espárragos, aguacates, tallos, coles de Bruselas, coles o repollos rizados, brócoli, melón, guayaba, grosella, naranja, toronja, limón, papaya, níspero, piña o ananá, mango, fresa o frutilla, hojas de mostaza, perejil, cebolla, arveja verde, pimiento dulce, rábano, espinaca, tomate, hojas de nabo y berros.

- *Frutas y verduras ricas en vitamina C*

Cien gramos de los siguientes alimentos se expresan en miligramos:

ALIMENTO	VALOR EN mg/100 g
Kiwi	500
Guayaba	480
Pimiento o pimentón rojo	204
Grosella negra	200
Perejil	150
Caqui	130
Col de Bruselas	100
Limón	80
Coliflor	70
Espinaca	60
Fresa	60
Naranja	50

Fuente: Raciones Dietéticas Recomendadas (RDA-EE.UU.) y FAO-OMS (Helsinki, 1988)

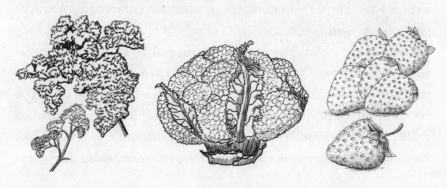

Vitamina E

Este notable antioxidante, entre otras cosas, ayuda al corazón a funcionar y promueve el uso de los ácidos grasos. Aunque no está totalmente comprobado, a pesar de los estudios exitosos en animales, los científicos creen que la vitamina E es aliada de la fertilidad tanto en el hombre como en la mujer.

• *Alimentos ricos en vitamina E*
Cantidades expresadas en mg/100 g.

ALIMENTO	VALOR EN mg/100 g
Aceite de girasol	55
Aceite de maíz	31
Germen de trigo	30
Avellanas	26
Almendras	25
Coco	17
Germen de maíz	16
Aceite de soya	14
Soya germinada	13
Aceite de oliva	12
Margarina	10
Maní o cacahuetes y nueces	9

Fuente: Raciones Dietéticas Recomendadas (RDA-EE.UU.) y FAO-OMS (Helsinki, 1988)

Los llamados tocoferoles (que son distintas vitaminas E), se encuentran especialmente en los aceites vegetales como el de germen de trigo y semillas (girasol, soya, oliva, etc.). Si en esta búsqueda de fuentes incluimos el alfatocoferol (la vitamina E más importante) encontramos que está presente no sólo en los aceites vegetales sino en muchas semillas y frutos secos. Sobre el tema de los aceites vegetales hay que hacer una precisión: los obtenidos por prensa en frío contienen bastante más vitamina E que los procesados industrialmente. El calentamiento repetido de aceites y grasas (por ejemplo, para preparar alimentos fritos) también destruye una gran parte de esta importante vitamina.

Además de los productos ya mencionados, reportan cantidades importantes de esta vitamina los fríjoles secos, el arroz integral, la harina de maíz, los huevos, la leche, la avena, las vísceras, las papas y el germen de trigo.

MINERALES, UN MUNDO SORPRENDENTE

Aunque a menudo los diferentes medios de comunicación se refieren a los minerales, generalmente asociados con las vitaminas, es relativamente poco lo que sabemos sobre estas sustancias. La primera pregunta que surge, entonces, es ¿qué son?

Los minerales son componentes inorgánicos de la alimentación, es decir, están presentes en la naturaleza sin formar parte de los seres vivos.

En el organismo, los minerales desempeñan un benéfico papel: son indispensables en la elaboración de tejidos, en la síntesis de ciertas hormonas y en la mayor parte de las reacciones químicas en las que intervienen las hormonas. De igual manera que las vitaminas, los minerales actúan como coenzimas, es decir, permiten que el organismo realice sus actividades con rapidez y precisión. También son necesarios para la correcta formación de los fluidos del cuerpo, para la producción de sangre y huesos y para mantener saludable la función nerviosa.

¿Cómo obtenemos los minerales? Los alimentos diarios son la principal fuente de suministro. Así, cada vez que disfrutamos una comida, estamos consumiendo muchos minerales, además de otros nutrientes. La sangre se encarga de conducir los minerales hasta las células y pasarlos a través de la membrana celular para que puedan ser utilizados. En este proceso los diferentes minerales compiten entre sí por su absor-

ción, característica que debe tenerse en cuenta para prevenir desbalances entre ellos.

Dicha competencia se evita al tomar siempre cantidades apropiadas de minerales. Es conveniente llevar una dieta rica y variada, en cantidades suficientes, que resulte adecuada a nuestras necesidades de energía y brinde el aporte de minerales necesarios para el organismo. Aunque los suplementos son útiles en ciertos casos, solamente un especialista debe formularlos, sobre todo si se programa un tratamiento prolongado de minerales.

Por último, hay que señalar que los minerales y la fibra no son muy buenos amigos, porque esta reduce su absorción. Por consiguiente, los suplementos de fibra y de minerales deben consumirse en diferentes momentos.

PRINCIPALES MINERALES

Los abundantes minerales que ofrece la naturaleza han sido divididos en tres grandes grupos, cuando están asociados a la alimentación humana: los *macroelementos*, que el organismo requiere en mayor cantidad y se miden en gramos; los *microelementos*, que se necesitan en menor porcentaje y se miden en miligramos, y los *oligoelementos* o elementos traza, necesarios en cantidades muy pequeñas, que se miden en microgramos (millonésimas de gramo).

El grupo de los macroelementos está compuesto por el sodio, el potasio, el calcio, el fósforo, el magnesio, el cloro y el azufre. El de los microelementos por el hierro, el flúor, el yodo, el manganeso, el cobalto, el cobre y el zinc. Por último, los oligoelementos más conocidos son el cromo, el litio, el molibdeno, el níquel, el selenio, el silicio y el vanadio. Los siguientes son aspectos importantes de los minerales, llamados esenciales.

Calcio

El calcio, conocido por su acción fortificante de los huesos, también tiene importancia en la correcta función celular, muscular, del sistema nervioso y para la coagulación de la sangre. Ayuda a prevenir el raquitismo en los niños y la osteoporosis en los adultos. Junto con el potasio y el magnesio, favorece la circulación de la sangre. El calcio se encuentra en diferentes alimentos, especialmente en los productos lácteos y, en menor grado, en las verduras de hojas verde oscuro, en las sardinas, el salmón, la soya y las almendras.

■ *Algunas verduras y frutas fuentes de calcio*

Equivalencia en miligramos de 100 gramos de verduras.

VERDURA	VALOR EN mg/100 g
Repollo verde	230
Berro	180
Espinaca fresca	126
Brócoli	113
Puerro (bulbo)	87
Apio blanco	80

Fuente: Elmadfa, 50

FRUTA	VALOR EN mg/100 g
Nueces	166
Tamarindo	81
Breva verde	68
Ruibarbo	51
Marañón	38
Freijoa	36

Fuente: Ijjász y Rincón, 23

Hierro

El cuerpo contiene entre 4 y 5 gramos de hierro, de los cuales, alrededor de 70 por ciento se encuentran en la sangre. Este mineral se requiere para la síntesis de compuestos que participan en gran número de funciones vitales y, además, resulta imprescindible en la correcta utilización de las vitaminas del grupo B. La función más importante del hierro es la producción de hemoglobina y la oxigenación de los glóbulos rojos. Desempeña papel fundamental en la producción de enzimas, el crecimiento de los niños y la resistencia a las enfermedades, y es también necesario para mantener el sistema inmunológico sano y para la generación de energía.

El hierro se encuentra en los huevos, el hígado, la carne, el pollo, los mariscos y otros productos animales, además de los cereales integrales y los enriquecidos. También está presente en las verduras, sobre todo en aquellas de color verde oscuro, en las nueces, los frutos secos, el aguacate, la remolacha, algunas leguminosas, el perejil, el durazno, la pera, la auyama, las uvas pasas, el arroz entero y las semillas de ajonjolí.

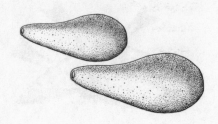

▪ *Algunas frutas y verduras fuentes de hierro*

Cien gramos corresponden en miligramos a:

FRUTAS	VALOR EN mg/100 g
Almendra	4,4
Breva deshidratada (higo)	3
Maracuyá	1,7
Breva fresca	1,5
Coco (pulpa)	1,3
Mora	1,2
Fresa	0,8
VERDURAS	
Guasca	7,1
Espinaca	4,1
Perejil	3,9
Berro	2,0
Repollo	1,4
Ajo	1,3
Brócoli	1,1

Fuente: Ijjász y Rincón, 27-28

Magnesio

Es el cuarto mineral en abundancia en el cuerpo, razón que explica su importancia para mantener una buena salud. La mayor parte del magnesio se fija en huesos y tejidos blandos. Además, hace parte de diferentes enzimas del metabolismo de los hidratos de carbono y de las proteínas y desempeña un papel protagónico en la excitabilidad muscular y nerviosa. El apropiado equilibrio del calcio y el magnesio es esencial para la fortaleza de huesos y dientes, reduce también el riesgo de osteoporosis y puede aliviar la osteoporosis existente.

El magnesio se halla en la mayoría de alimentos, en especial productos lácteos, pescado, carne y mariscos. Otros alimentos que ofrecen cantidades interesantes de este mineral son la manzana, el albaricoque, el aguacate o palta, el banano, el ajo, el fríjol, el maíz, las nueces y otros frutos secos.

▪ *Contenido de magnesio en algunas frutas y verduras*
Cifras en miligramos por porción.

ALIMENTO	RACIÓN EN g	mg POR RACIÓN
FRUTAS		
Plátano	100	36
Papaya	100	40
Kiwi	200	48
VERDURAS		
Acedera	100	41
Maíz dulce	100	43
Espinacas frescas	100	58
Brócoli	200	48
Alcachofa	200	52

Fuente: Elmadfa, 53-54.

Zinc

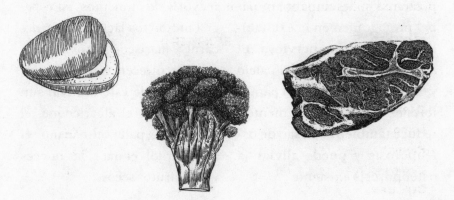

Es integrante de la síntesis del material genético que controla el crecimiento, la división y función de las células. Forma parte de cerca de 90 enzimas diferentes, contribuye a los principales procesos corporales, incluido el desarrollo y el crecimiento de los huesos. Es básico para el metabolismo de las proteínas, previene los daños que pueden causar los radicales libres en los ojos, en la glándula prostática, en el fluido seminal y la esperma. También reviste importancia en la correcta producción hormonal, la función inmunológica y la salud de huesos y articulaciones. Una adecuada cantidad de zinc realza la habilidad de percibir el sabor, promueve la salud del cabello y la piel, refuerza las funciones reproductivas y puede mejorar la memoria y el tiempo de concentración. El zinc es también usado para tratar el acné, la artritis reumatoide y la prostatitis.

Se encuentra especialmente en la carne y los crustáceos. También son alimentos ricos en zinc los hongos o setas, la levadura de cerveza, las ostras, el arenque, el salvado de trigo, la avena integral, el germen de trigo, el hígado de cerdo, de ternera y de cordero, las nueces, los fríjoles, el berro y el queso.

- *Contenido de zinc en algunos alimentos*

Cifras en miligramos por porción.

ALIMENTO	RACIÓN EN g	mg POR RACIÓN
PRODUCTOS DEL MAR		
Ostras	100	Hasta 160
CARNE DE RES		
Lomo	100	2,5
Pierna	100	3,3
Carne magra	100	4,2
CEREALES		
Avena en grano	60	2,7
Germen de trigo	60	7,2
VERDURAS		
Coles de Bruselas	200	1,7
Brócoli	200	1,9
LEGUMBRES		
Fríjol blanco	75	2,1
Lenteja	75	3,75

Fuente: Elmadfa, 62-63

Potasio

Después del calcio y el fósforo, ocupa el tercer lugar entre los minerales más abundantes del cuerpo. Trabaja en unión con el sodio y el cloruro para mantener la distribución de fluidos, regular el balance ácido-alcalino de la sangre y aumentar la transmisión de impulsos nerviosos, las

contracciones musculares, la regulación de los latidos del corazón y la presión sanguínea. El potasio también es importante en la síntesis de las proteínas, el metabolismo de los carbohidratos y la secreción de insulina. Se investiga si quienes comen con regularidad alimentos ricos en potasio son menos propensos a desarrollar enfermedades del corazón, hipertensión y arteriosclerosis.

El potasio se halla en una gran variedad de alimentos. Se dice que los alimentos pobres en sodio son ricos en potasio. Una corta lista de fuentes naturales podría ser: carne, verduras y frutas frescas (en especial cítricas, banano y aguacate), legumbres, frutos secos y papas.

• *Contenido de potasio en algunos alimentos*
Cifras en miligramos por porción.

ALIMENTO	PORCIÓN	mg
Melaza	1/4 taza	2.400
Papa asada al horno	1 mediana	844
Melón	1/2 fruta	825
Aguacate	1/2 fruta	742
Ciruelas pasas	10 mitades	626
Yogur bajo en grasa	1 taza	530
Jugo fresco de naranja	1 taza	472
Banano	1 unidad	451
Almendra	2 onzas	426
Espinaca cocida	1/2 taza	419
Leche descremada	1 taza	418
Maní	2 onzas	400

Fuente: Departamento de Agricultura de Estados Unidos.

Yodo

Desde hace siglos se conoce su acción en la prevención y tratamiento del bocio, un ensanchamiento de la glándula tiroides, donde el yodo se localiza principalmente. Tiene una gran influencia sobre el metabolismo de los nutrientes, la función nerviosa y muscular, el cabello, la piel, la dentadura, las uñas. Ayuda al crecimiento, mejora la agilidad mental y quema el exceso de grasa. Además, actúa sobre el tubo digestivo y participa en la circulación.

Las fuentes naturales más destacadas son las verduras cultivadas en suelos ricos en yodo, la sal marina, los mariscos y las algas. La mayoría de las sales de cocina están enriquecidas con cantidades suficientes de yodo.

▪ *Contenido de yodo en algunos alimentos*
Cifras en microgramos por porción.

ALIMENTO	RACIÓN EN g	µg POR RACIÓN
ACEITES		
Aceite de hígado de bacalao	5	42
PRODUCTOS DEL MAR		
Sardina	100	32
Salmón	100	34
Mejillones	100	130
FRUTAS		
Piña o ananá	200	Hasta 20
VERDURAS Y SETAS		
Repollo o col verde y espinaca fresca	200	24
Brócoli y zanahoria	200	30
Champiñones cultivados	200	36

Fuente: Elmadfa, 58

Fósforo

Como el calcio, el fósforo es esencial para la formación y conservación de los huesos; más de 75 por ciento del fósforo del cuerpo está en los dientes y huesos. Resulta imprescindible para el metabolismo, especialmente en el proceso de obtención y transformación de energía. Sus funciones más destacadas consisten en estimular la contracción muscular, contribuir al crecimiento y reparación de los tejidos, producir energía, transmitir impulsos nerviosos y activar la función del corazón y los riñones. Es, además, un mineral importante en la etapa de desarrollo de los huesos y dientes, así como en su mantenimiento.

El fósforo está presente en algún grado en casi todos los

alimentos, en especial aquellos que también contienen calcio. Las carnes, aves, huevos, pescados, nueces, productos lácteos, granos enteros, frutos secos, soya y bebidas ligeras, son algunas fuentes de este mineral.

▪ *Contenido de fósforo en algunas frutas y verduras*
Cifras en miligramos por cien gramos.

FRUTA	VALOR EN mg/100 g
Marañón	470
Borojó	160
Coco	101
Tamarindo	86
Chontaduro o cachipay	47
Aguacate	40
VERDURA	
Brócoli	137
Ajo	135
Auyama	87
Coles de Bruselas	86
Coliflor	70
Alcachofa	66

Fuente: Ijjász y Rincón, 24-25

MÁS NUTRIENTES EN UN VASO DE JUGO

En un vaso de jugo, además de vitaminas y minerales, podemos encontrar otros nutrientes importantes para la vida. El más obvio es su contenido líquido, que se obtiene al exprimir una fruta o verdura o al mezclarlas con agua. Además de ese líquido precioso, podemos mencionar otros nutrientes esenciales: las enzimas, la clorofila y los aminoácidos.

Regalo líquido de la naturaleza

El agua, parte esencial de todos los seres vivos, es tan importante para una alimentación equilibrada, como el aporte de energía y de nutrientes. Actúa en el organismo como disolvente y medio de transporte. Mientras el hombre puede sobrevivir semanas sin alimento, sin agua escasamente duraría algunos días. Los expertos señalan que una pérdida de 10 por ciento del agua es grave, mientras que una pérdida de 20 a 22 por ciento es fatal.

Nuestro organismo adulto contiene 60 por ciento de agua, aunque el porcentaje varía un poco según la edad. Este preciado líquido lo obtenemos de tres fuentes principales: el agua producida durante el metabolismo de las sustancias nutritivas, los líquidos ingeridos como agua pura, jugos y sopas, y el agua presente en los alimentos sólidos.

El agua es, pues, un componente esencial de la sangre y en general del organismo. Interviene en la regulación de la temperatura corporal, transporta las sustancias nutritivas y facilita su absorción; resulta, además, fundamental para eliminar las sustancias de desecho y mantiene hidratada la piel.

Como se elimina en forma constante a través del aparato digestivo, riñones, pulmones y piel, es necesario reponerla varias veces al día. Por esta razón se recomienda un consumo de 1,5 a 2 litros (6 a 8 tazas) de agua, que pueden obtenerse en forma de jugos, batidos, caldos, etc. Los profesionales en nutrición recomiendan consumir agua media hora antes y dos horas después de las comidas, debido a que beber al tiempo que se consumen los alimentos puede entorpecer la digestión.

Una excelente forma de obtener agua es por medio de jugos frescos de frutas y verduras. Estas bebidas, además de ser fuente de nutrientes, contribuyen a limpiar el organismo. Bien sea porque bebamos el jugo de una planta (que es agua destilada por la naturaleza) o mezclemos la fruta o verdura con agua, estas bebidas son una forma saludable de mantenernos hidratados y de disfrutar todos los beneficios nutritivos y terapéuticos de las plantas.

APORTE NECESARIO DE LÍQUIDOS SEGÚN EDAD Y MASA CORPORAL

EDAD	MASA MEDIA CORPORAL (kg)	APORTE NECESARIO DE LÍQUIDOS (ml/kg)	(ml/24 h)
Recién nacidos	2,8-3,5	100	280-350
Lactantes	5,4-10,0	120-160	750-1.350
Bebés	12,5-16,5	110-125	1.400-1.800
Preescolares	18,3-21,9	96-104	1.750-1.900
Escolares / jóvenes	28,7-45,0	49-104	2.000-2.400
Adultos	60,0-75,0	33-42	2.000-2.500

Fuente: Lucas, H., 925

Aminoácidos, materia prima de la vida

Cada célula de nuestro cuerpo depende de las proteínas para prosperar, mantenerse y recuperarse. Las proteínas se componen de aminoácidos (llamados por algunos "materia prima"), que a su vez están formados por carbono, hidrógeno, oxígeno y nitrógeno, los cuatro elementos básicos de la vida. La naturaleza dispuso que las moléculas de proteínas estuvieran constituidas por varios grupos de aminoácidos, cada uno de ellos con una función particular. Por ejemplo, el cabello y la piel se fortalecen y conservan flexibilidad gracias al colágeno, mientras que la sangre se mantiene oxigenada por efecto de una proteína llamada hemoglobina.

Si se desea una buena salud es importante satisfacer los requerimientos proteínicos del organismo. Para lograrlo, tenga siempre presente que esas sustancias proteínicas forman los músculos, tendones, ligamentos, órganos, glándulas, uñas, pelo y fluidos del cuerpo humano (con excepción de la bilis y la orina). También son esenciales para el crecimiento óseo y forman parte de las enzimas, las hormonas y los genes.

AMINOÁCIDOS ESENCIALES
Histidina
Isoleucina
Leucina
Lisina
Metionina
Fenilalanina
Treonina
Triptófano
Valina

AMINOÁCIDOS NO ESENCIALES
Alanina
Arginina
Ácido aspártico
Aspargina
Ácido glutámico
Cistina
Glicina
Serina
Tirosina
Taurina

Se considera que los 29 aminoácidos conocidos dan origen a los centenares de proteínas presentes en todos los seres vivos. El hígado produce alrededor de 80 por ciento de los aminoácidos que necesita el cuerpo; el restante 20 por ciento debe obtenerse de fuentes externas. Esta diferencia origina la clasificación de los aminoácidos en no esenciales (al parecer, elaborados por el organismo) y aminoácidos esenciales (no producidos por el cuerpo, y que deben obtenerse con la alimentación).

Una proteína se considera completa cuando contiene todos sus aminoácidos esenciales. Pescados, carnes, aves y productos lácteos son un ejemplo de alimentos con proteínas completas. Existen otros productos alimenticios que no incluyen o que tienen una muy baja cantidad de esos valiosos aminoácidos esenciales, razón por la cual se les considera proteínas incompletas. Es el caso de las frutas, verduras y cereales.

Sin embargo, al combinar mediante una alimentación variada alimentos con las dos clases de proteínas, se obtiene una comida equilibrada desde el punto de vista de las proteínas.

Por último, es importante mencionar que los aminoácidos, además de cumplir sus funciones vitales, permiten que las vitaminas y minerales desempeñen adecuadamente su trabajo. Si por alguna razón no están presentes los aminoácidos, los minerales y las vitaminas no surten los efectos esperados.

Las desconocidas enzimas

Las enzimas, definidas como unas sustancias químicas complejas que regulan y gobiernan el funcionamiento y comportamiento de los seres vivos, durante 24 horas al día construyen y deconstruyen nuestro organismo. En la maduración de frutas y verduras, en la germinación que da paso a una planta o en la digestión humana, están presentes las enzimas.

Se las considera catalizadores[1] muy potentes y eficaces y, como tales, actúan en pequeña cantidad y se recuperan indefinidamente. En el ser humano contribuyen a la formación de la energía, a la digestión adecuada de los alimentos, a la producción de hormonas y anticuerpos, así como a la eliminación de los desechos.

Las enzimas y otras sustancias valiosas, especialmente sensibles al calor, son destruidas cuando se cocina o hierve un alimento. Por ello resultan tan atractivos los jugos o las frutas y verduras enteras y crudas: conservan intactas todas sus enzimas. La dietética así como otras disciplinas relacionadas con la nutrición, recomiendan que se incremente el consumo de alimentos frescos o crudos, como frutas, verduras y semillas, entre otros.

Los jugos constituyen una buena fuente de enzimas, porque frutas y verduras liberan en el procesador de cocina o en la licuadora, las enzimas contenidas en los alimentos, de la misma forma que cuando las masticamos. Podría decirse que en lugar de utilizar la dentadura para triturar los alimentos frescos, nos servimos de tales aparatos de cocina. Este procedimiento tiene una ventaja adicional, porque al beber un jugo el organismo requiere menos energía para apropiarse de los nutrientes.

Las personas mayores, así como los convalecientes, pueden considerar atractiva esta característica, porque con el paso del tiempo o cuando el organismo está debilitado, disminuye la capacidad de producir enzimas. Los alimentos cocidos, por su parte, demandan cierta cantidad de enzimas para lograr el proceso digestivo. En contraste, los alimentos frescos conservan sus enzimas y proporcionan valiosos nutrientes indispensables para la buena salud. Los atletas

---

1 Un catalizador es una sustancia que acelera una reacción química, hasta hacerla instantánea o casi instantánea.

y personas cuyo trabajo requiere gran cantidad de energía y pérdida de líquidos, pueden considerar los jugos como buenos aliados por su alto contenido de nutrientes y agua.

Frutas y verduras, fuentes de clorofila

Hortalizas verdes en general, y verduras como la lechuga, el repollo, la acelga, la alfalfa, la espinaca, el berro, el perejil, el apio, el pepino cohombro, en particular, son magníficas fuentes de clorofila, compuesto que tiene como principal característica brindar el color verde a las plantas. El reino vegetal necesita la clorofila con el fin de convertir la luz del sol en energía y lograr su desarrollo y crecimiento. Para el hombre, la clorofila es una sustancia interesante, entre otras cosas, por sus propiedades desintoxicantes. Esta razón hace que las verduras verdes como los berros o las espinacas sean tan importantes para un programa de desintoxicación.

Además de estas cualidades, la clorofila es una valiosa aliada de la salud porque constituye un sanador natural, al igual que limpiador y depurador. También es un antiséptico interno, estimula las células, contribuye a la producción de sangre y rejuvenece el organismo. Algunas investigaciones en laboratorio señalan que los vegetales verdes pueden ayudar a prevenir ciertos tipos de cáncer.

Por último, hay que mencionar que la literatura especializada señala el parecido que existe entre una molécula de clorofila y la hemoglobina, sustancia encargada de llevar el oxígeno en la sangre. En algunos experimentos se ha observado que ciertos animales poseen la capacidad de convertir la clorofila en hemoglobina, para enriquecer la sangre. Diversos investigadores sostienen que nuestro cuerpo posee la misma habilidad.

LOS JUGOS
Y SU SALUD

LOS JUGOS Y SU SALUD
Un brindis con la naturaleza

La mayoría de personas sabe que una dieta equilibrada incluye los principales grupos de alimentos: formadores (leche, yogur, quesos, carnes, vísceras, pescados, mariscos, huevos y leguminosas), reguladores (vegetales y frutas) y energéticos (cereales y productos derivados, tubérculos, plátanos, azúcares, grasas). Sin embargo, no siempre se logra un equilibrio porque estos grupos de alimentos no se combinan de forma adecuada según la edad, circunstancia, sexo o tipo de actividad. De igual forma, el actual estilo de vida obliga a las personas a buscar comidas rápidas, a saltarse comidas como el desayuno o recurrir a alimentos procesados porque ahorran tiempo.

Dice el dicho popular que "somos los que comemos". Por esa razón, la salud de las personas refleja la forma como se alimentan. Una dieta diaria que satisfaga las necesidades de energía extenderá sus beneficios a aspectos como el crecimiento, el desarrollo, el metabolismo, la salud y el rendimiento. Las ventajas de seguir una dieta equilibrada son infinitas porque no sólo proporciona vigor, sino que además ayuda a prevenir ciertos trastornos del organismo o a controlar sus síntomas. Al mismo tiempo, permite mantener el peso adecuado si se combina con la práctica de algún ejercicio.

Pero los investigadores han ido más allá y han señalado que la clave de una dieta equilibrada consiste no sólo en tomar una alimentación variada, sino también en aumentar el consumo de vegetales en detrimento de los productos cárnicos. Tanto los cereales como la pasta contienen gran cantidad de carbohidratos complejos, de modo que si se combinan con fruta y verdura fresca se obtiene un plato más nutritivo.

Existen muchos tipos de dieta y quizás la más famosa es la mediterránea, compuesta por gran cantidad y variedad de frutas, verduras y leguminosas, al alcance de los habitantes de ese famoso mar, porque las condiciones climáticas de la zona permiten su cultivo. Esta dieta, además, incluye cantidades de pescado y mariscos y muy limitadas porciones de carne, todo sazonado con gran cantidad de aceite de oliva. Muchos de los platos que componen esta famosa dieta incluyen ajo, verdura que protege el corazón y previene el cáncer, y perejil, hierba también muy saludable.

Sin embargo, no siempre es fácil seguir dicha dieta. En ocasiones los ingredientes escasean o son costosos y debemos optar por productos regionales que resultan más frescos y acordes con nuestro bolsillo. Quizás la más importante lección de esta dieta es la idea de utilizar alimentos frescos, como frutas y verduras, sazonar con aceites vegetales y consumir menos cantidad de carne.

NUTRIENTES BÁSICOS

Puesto que las proteínas, los hidratos de carbono, las vitaminas, los minerales, las grasas y el agua conforman los elementos básicos de una alimentación sana, es indispensable la ingestión diaria de estos grupos de nutrientes en una proporción adecuada, según la edad, el sexo y la actividad física. La correcta elección del menú diario puede conseguir una combinación favorable y apetitosa. Veamos brevemente en qué consiste cada grupo de nutrientes.

PROTEÍNAS

La palabra proteína proviene de un vocablo griego que significa "ser el primero". Probablemente fueron bautizadas así porque después del agua, las proteínas son las sustancias más abundantes en el cuerpo. Cada una de nuestras células depende de las proteínas para crecer, mantenerse y recuperarse. El valor biológico de las proteínas se calcula según su contenido de aminoácidos esenciales (ver aminoácidos en la página 46).

CONTENIDO DE PROTEÍNAS EN ALGUNOS ALIMENTOS (Valores medidos por cada 100 gramos)	
Legumbres	22 g
Carne de res	de 15 a 20 g
Carne de cerdo	de 10 a 20 g
Pescado	de 10 a 20 g
Pollo	15 g
Copos de avena	14 g
Huevo	13 g
Pan	11 g
Arroz	7 g
Papa	1,6 g
Tomate	0,9 g

Por esta razón, una alimentación sana debe incluir alimentos de origen vegetal y animal que contengan proteínas en una proporción adecuada. Los platos que incluyen al mismo tiempo proteínas vegetales y animales (por ejemplo, papas con huevo, trigo y leche, papas y carne, etc.), tienen un elevado valor biológico.

Se calcula que un aporte de proteínas suficiente en una dieta variada debe involucrar entre 12 y 15 por ciento de la energía alimentaria. La cantidad de proteínas que se recomienda para personas sanas y con peso normal, es de aproximadamente un gramo por kilogramo de peso. Este valor cambia, por supuesto, para las mujeres que siguen un embarazo, para los abuelos y los lactantes, que requieren porcentajes más elevados.

HIDRATOS DE CARBONO

Se calcula que después del primer año de vida, los hidratos de carbono brindan más de la mitad de la energía alimentaria diaria. Estas sustancias se forman cuando el dióxido de carbono y el agua se juntan en presencia de la luz solar y de la clorofila (consultar la página 49). Su función en el organismo es muy importante porque, además de cubrir gran parte de las necesidades energéticas, se utilizan en el metabolismo celular como sustancias de reserva y soporte. También participan en la constitución de compuestos como sustancias del grupo sanguíneo y anticuerpos.

ALGUNOS CARBOHIDRATOS IMPORTANTES
Lactosa (azúcar de la leche)
Glucosa (azúcar de uva)
Fructosa (azúcar de la fruta)
Sacarosa (azúcar de caña o remolacha)

Existen tres clases de carbohidratos: los *carbohidratos simples* o *azúcares*, de rápida absorción y fuente permanente de energía. Tanto las frutas como las verduras son buenas fuentes de carbohidratos simples. Los alimentos azucarados elaborados industrialmente contienen azúcar refinado simple. Sin embargo, conviene alejarse del azúcar refinado y optar por alimentos ricos en azúcar no refinado. El segundo tipo de hidratos de carbono, constituido por los llamados complejos o almidones se considera la mejor fuente de energía para el cuerpo. Entre los alimentos ricos en este tipo de sustancia están los productos elaborados con granos enteros (como el pan integral), el arroz entero, la pasta de trigo solo, los tubérculos (como la papa, la yuca y el ñame). Por último se considera la fibra, cuyo valor está asociado al buen funcionamiento del tracto digestivo.

GRASAS O LÍPIDOS

Cuando hablamos de energía, las grasas son los nutrientes campeones. Constituyen fuentes de energía muy concentrada y se

CONTENIDO DE GRASAS DE CIERTOS ALIMENTOS (Valores medidos por cada 100 gramos)	
Aceite vegetal	100 g
Mayonesa	79 g
Mantequilla	74
Nueces	606
Salchichas	44 g
Chocolate	30 g
Carne de cerdo	de 10 a 50 g
Huevo	13
Pan	1 g
Fruta	0,2 g
Verdura	0,2 g

calcula que mientras un gramo de azúcar produce cuatro calorías, un gramo de lípidos produce nueve. Por lo general, las grasas contienen varias vitaminas liposolubles, así como otras sustancias útiles para el organismo.

Los ácidos grasos están compuestos por grasas que desempeñan diversas funciones, entre ellas la de absorber ciertas vitaminas y betacarotenos que el organismo transforma en vitamina A; estimulan, además, el crecimiento durante la infancia, intervienen en la síntesis de las hormonas sexuales y regulan el metabolismo.

Existe la creencia de que todas las grasas son "malas". La verdad es que, si bien las grasas saturadas en estado sólido a temperatura ambiente (salvo la de los aceites de palma y coco) pueden contribuir a aumentar el colesterol de la sangre, las insaturadas, en cambio, lo reducen o no tienen ningún efecto sobre este. Lamentablemente, en los países de nuestra área es muy común que el consumo total de grasas provenga de aquellas que resultan perjudiciales. La siguiente tabla resume algunos datos importantes sobre estas sustancias.

GRASAS BUENAS Y MALAS

TIPO DE ÁCIDO GRASO	FUENTES	FUNCIÓN
SATURADOS (Perjudiciales)	Mantequilla, queso curado, crema, aceites de palma y coco, margarina dura y grasas sólidas para cocinar, productos cárnicos grasos (como hamburguesas, tocineta, salchichas, salami y paté), galletas, repostería, chocolate.	Innecesarios, pues el organismo sintetiza los que necesita; sin embargo, se aprecian porque añaden sabor a los alimentos. Un exceso de grasas saturadas lleva a la obesidad, la arterosclerosis, la cardiopatía isquémica y el cáncer de mama, colon y páncreas.

TIPO DE ÁCIDO GRASO	FUENTES	FUNCIÓN
Monoinsaturados Omega-9 (Beneficiosos)	Aceite de oliva, aguacate, frutos secos y semillas	Desde el punto de vista nutricional no son necesarios, aunque muchos de los alimentos que aportan este tipo de grasa contienen también las poliinsaturadas, que son indispensables.
Poliinsaturados Omega-6 (procede del ácido linoleico; esenciales)	Aceites vegetales, en especial los de maíz y soya.	Necesarios para un crecimiento y desarrollo sanos; su carencia puede inhibir el crecimiento y el funcionamiento del sistema inmunológico y provocar alteraciones en la piel y coágulos sanguíneos.
Omega-3 (Derivado del ácido linolénico; esenciales)	Pescado azul (como sardinas y arenques frescos) y aceites de nuez.	Necesarios para el desarrollo precoz del cerebro y las retinas; son antiinflamatorios y anticoagulantes; pueden ser útiles en el tratamiento de la cardiopatía isquémica, la soriasis y la artritis.
TRANS (Perjudiciales)	Carne y derivados, productos lácteos, alimentos procesados, margarinas y grasas reforzadas para que no se vuelvan rancias.	No son indispensables; se asocian con la cardiopatía isquémica. Si se fríen los alimentos en este tipo de grasa, como las margarinas, las grasas beneficiosas de estos pueden convertirse en perjudiciales, por lo que es mejor emplear el aceite de oliva u otros aceites vegetales.

VITAMINAS Y MINERALES

En el capítulo "Los secretos de los jugos" hay un resumen sobre las funciones e importancia de estos componentes esenciales de la alimentación. De igual forma, si se desea ampliar el tema, puede consultarse el libro *El poder curativo de las vitaminas y los minerales*. Por el momento es necesario insistir en que para gozar de una salud física y mental adecuada, se necesitan estos nutrientes. Si usted sigue una dieta variada y equilibrada, seguramente posee un adecuado balance de estas sustancias.

La siguiente tabla es una guía elaborada según las sugerencias de la Organización Mundial de la Salud (OMS) sobre las Cantidades Diarias Recomendadas (CDR). Debe tenerse en cuenta que las cifras aquí señaladas se refieren tan sólo a la cantidad mínima imprescindible. Todavía los investigadores no se han puesto de acuerdo sobre la cantidad exacta, de manera que podemos considerar que para gozar de una buena salud se necesitan grandes cantidades de estos nutrientes y que la proporción ideal depende siempre del estado físico, mental, la edad y sexo de cada uno.

VITAMINAS Y SU CANTIDAD DIARIA RECOMENDADA (CDR)	
VITAMINA	**CDR**
Vitamina A	Mujeres: 600 mcg; en período de lactancia: 950 mcg; hombres: 700 mcg
Vitamina B_1 (tiamina)	Mujeres: 0,8 mg; hombres: 1 mgr
Vitamina B_2 (riboflavina o vitamina G)	Mujeres: 1,1 mg; hombres: 1,3 mg
Niacina (ácido nicotínico; pertenece al grupo B)	Mujeres: 13 mg; hombres: 17 mg
Ácido pantoténico (pertenece al grupo B)	3-7 mg

VITAMINA	**CDR**
Vitamina B₆ (piridoxina)	Mujeres: 1,2 mg; hombres: 1,4 mg
Vitamina B₁₂ (cianocobalamina)	1,5 mcg
Vitamina C (ácido ascórbico)	40 mcg; fumadores: al menos 80 mg
Vitamina D (colecalciferol)	Basta con el que se recibe al exponerse al sol; si apenas se expone a la luz solar: 10 mcg
Vitamina E (tocoferol)	Mujeres: al menos 3 mg; hombres: al menos 4 mg
Vitamina K (filoquinona)	1 mcg por cada kg de peso corporal
Ácido fólico	200 mcg; mujeres embarazadas: 300 mcg (más un suplemento de 400 mcg en las primeras 12 semanas)
Biotina	10-200 mcg

VITAMINAS Y SU CANTIDAD DIARIA RECOMENDADA (CDR)

MINERAL	**CDR**
Calcio	700 mg; mujeres en período de lactancia : 1.250 mg
Magnesio	Mujeres: 270 mg; hombres: 300 mg
Fósforo	550 mg
Potasio	3.500 mg
Sodio	1.600 mg
Selenio	Mujeres: 60 mcg; hombres: 75 mcg
Zinc	Mujeres: 7 mg; hombres: 9,5 mg
Hierro	Mujeres: 14,8 mg; hombres: 8,7 mg
Manganeso	1,4 mg

LOS JUGOS, AMIGOS DE LA NUTRICIÓN

La verdad es que hoy los alimentos frescos, en su estado natural, han sido relegados por productos empaquetados, congelados, enlatados, precocinados, envasados, o por pizzas y otros menús a domicilio, en fin... un mar de alimentos de preparación rápida y bajo valor nutricional. Quizás precisamente por estos hábitos ha aumentado la necesidad de incluir en la alimentación diaria suplementos de vitaminas y minerales para garantizar un mediano equilibrio de estos nutrientes en el organismo. Aunque los suplementos resultan en ocasiones efectivos, jamás podrán remplazar una dieta adecuada donde los protagonistas sean los alimentos frescos.

Esta tendencia del mundo moderno, que deja de lado las cosas naturales y sencillas, ha preocupado a muchos investigadores y profesionales de la salud. De igual forma, es un tema que cada vez se consulta más por las personas que quieren cuidar de sí mismas y de sus familiares. En la actualidad existen muchas opiniones sobre el tema de los alimentos frescos, como las frutas y las verduras; algunas de ellas consideran que deberíamos consumir siete porciones de verduras y dos de frutas. Otros, en cambio, proponen cantidades aún más drásticas y recomiendan que entre 55 y 70

por ciento de los alimentos que componen nuestro menú diario, debería ser de alimentos frescos. Incluso hay quienes van más allá y proponen una alimentación exclusivamente con este tipo de alimentos.

Todos coinciden, sin embargo, en que se deben consumir más frutas y verduras y olvidarse de los alimentos de preparación instantánea, precocidos, procesados industrialmente o elaborados sin mucha garantía y llevados a domicilio. Esta tarea puede resultar muy sencilla porque la oferta de productos vegetales en los países de la zona tropical, que no padecen la rigurosidad de los cambios climáticos, es muy amplia.

¡BRINDEMOS CON LOS JUGOS!

Los jugos de frutas y verduras están de moda porque resultan una manera sencilla y práctica de obtener un suplemento natural en pocos minutos. Por ello, son una preparación ideal para las personas que tienen poco tiempo, viven de prisa y se preocupan por su estado de salud. Pero los jugos, más que un suplemento, constituyen esencialmente una fuente natural y confiable de vitaminas, minerales y otros nutrientes y sirven para desintoxicar y equilibrar el organismo, prevenir el envejecimiento y combatir las enfermedades. En un vaso de jugo usted puede tener un poderoso coctel multivitamínico que le aportará resultados sorprendentes.

Quien ha probado o está acostumbrado a tomar jugos de frutas y verduras, conoce con certeza la gran diferencia que existe con respecto a los productos elaborados de manera industrial. El aroma, la textura, el sabor y los efectos sobre el organismo, difieren totalmente de los jugos que vienen embotellados, en cajas o enlatados. Gran parte de los productos elaborados comercialmente consisten, en realidad, en azúcares, colorantes y saborizantes químicos que imitan la naturaleza. En contraste, los jugos hechos en casa son la naturaleza servida en un vaso. Si tenemos el cuidado de utilizar productos frescos, de buena calidad y confiables, obtendremos intactos los beneficios nutricionales de las frutas y de las verduras.

¿POR QUÉ SON IMPORTANTES LOS JUGOS?

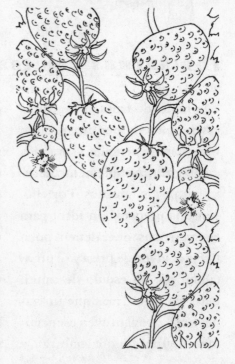

Además de los beneficios mencionados, cuando tomamos un vaso de jugo fresco renovamos hasta 70 por ciento del agua que forma el cuerpo. Aunque con los trozos de fruta también obtenemos todos estos nutrientes, con los jugos incrementamos su proporción al utilizar mayor cantidad de fruta y verdura para producir un vaso —230 ml— de jugo, que equivale a consumir dos zanahorias, dos naranjas grandes y casi media piña.

Y aún hay más ventajas: los nutrientes que nadan invisibles

64

en un vaso de jugo, son asimilados en unos pocos minutos, a diferencia de otros alimentos cuya lenta digestión puede tardar varias horas. Como estas bebidas se digieren sin dificultad en el estómago, los nutrientes entran en la corriente sanguínea de forma muy rápida, cualidad que hace estas preparaciones especialmente atractivas para organismos que no pueden soportar grandes cantidades de fibra o cuando no es posible la correcta masticación de los alimentos.

Sin embargo, hay que hacer una advertencia: los jugos no deben remplazar las raciones diarias de frutas y verduras, pues las fibras que contienen cumplen la valiosa función de facilitar la eliminación de residuos del cuerpo.

MÁS BENEFICIOS... LOS ANTIOXIDANTES

Los antioxidantes son hoy protagonistas de numerosos artículos en periódicos, revistas, radio, televisión, así como de investigaciones y trabajos científicos. Estos últimos han subrayado el papel fundamental de estos elementos en la protección contra enfermedades degenerativas como el cáncer, de enfermedades coronarias, de envejecimiento prematuro y de cataratas. Los científicos consideran que los antioxidantes podrían ser la alternativa que buscan para limitar el impacto de estos males.

LOS RADICALES LIBRES

Son unas moléculas inestables que provocan la aparición de enfermedades como cáncer, obstrucción de las arterias, envejecimiento e inflamaciones.

Además de una dieta rica en frituras y poco variada, los radicales libres son provocados también por la contaminación, la combustión de petróleo, las radiaciones, los rayos del sol, el humo del tabaco, las enfermedades, etcétera.

Algunos de estos antioxidantes son nutrientes esenciales, como la vitamina A, el betacaroteno y otros carotenoides, que previenen ciertos tipos de cáncer, especialmente de pulmón y del aparato digestivo, así como la vitamina C, que trabaja para alejar los cánceres de boca, garganta y mamas, entre otros. Por tal motivo es aconsejable incluir en la dieta frutas y verduras frescas, ricas en esta vitamina. Algunos trabajos científicos suponen que la vitamina E previene las cardiopatías, por lo cual conviene tomar alimentos elaborados a partir de semillas como el aceite de girasol, y frutos secos. Las deficiencias de vitamina A, en cambio, han sido asociadas con la enfermedad de Alzheimer y, así mismo, las vitaminas C y E, con las cataratas. Algunos minerales como el zinc, el cobre y el selenio (que se encuentran en alimentos como los mariscos, los aguacates, los frutos secos y las semillas) también neutralizan la acción de estas moléculas.

Los antioxidantes refuerzan el sistema inmunológico y, por tanto, ayudan al organismo a resistir ante las enfermedades. Algunos centros de investigación trabajan para demostrar que estos nutrientes reducen los síntomas del sida, los resfriados y las infecciones respiratorias.

Tanto las frutas como las verduras ofrecen dichos antioxidantes y, por tanto, las bebidas elaboradas con ellas son una fuente extraordinaria de estos nutrientes. Gracias a los antioxidantes el organismo se protege de la acción de los radicales libres.

UNAS LÍNEAS PARA LOS BIOFLAVONOIDES

Algunos antioxidantes pertenecen al grupo de los bioflavonoides. Estas sustancias también se conocen con el nombre de vitamina P y trabajan como protectoras de las células vegetales. El hombre se beneficia de los bioflavonoides cuando, tras una comida, siguen ejerciendo su beneficiosa acción, pero esta vez no en su medio vegetal, sino en nuestro cuerpo. Al igual que las vitaminas, no se almacenan en el organismo y deben ser consumidos cada día.

Se ha calculado que existen unos 7.000 bioflavonoides diferentes, la mayoría de los cuales se distinguen por su fuerte coloración, que puede apreciarse en el intenso azul de ciertas bayas o en las cáscaras de frutas y verduras. La naturaleza creó esta sustancia seguramente para atraer con olores y colores a los insectos útiles a las plantas o, por el contrario, para repeler aquellos que resultan perjudiciales. De igual forma, los bioflavonoides protegen las plantas contra microorganismos parásitos, hongos y bacterias.

Los bioflavonoides son, pues, una sustancia útil para la buena salud humana. La mejor manera de disfrutar de sus virtudes es seguir una dieta variada y rica en alimentos frescos, o ligeramente cocinados, de origen vegetal. Aunque aún no se han descubierto todos sus beneficios, se suele hablar de estas poderosas sustancias naturales como:

• Favorecedoras de la vitamina C, pues trabajan para fortalecer las paredes de los vasos capilares. De igual forma, contribuyen a combatir las hemorroides, las várices, las hemorragias gingivales, la trombosis y las contusiones.

• Poseen la capacidad de unirse a metales tóxicos (como el cobre y el plomo) y así facilitan su eliminación.

• Estudios recientes señalan que estas sustancias coadyuvan a remediar las alergias, las anemias, el exceso de grasa en la sangre, las encías sangrantes y los efectos secundarios adversos de los anticonceptivos.

• Por último, algunas investigaciones han señalado que los bioflavonoides poseen diversas propiedades antiinfecciosas y anticarcinogénicas.

CLASIFICACIÓN GENERAL DE LOS JUGOS

Aunque no existe una división exacta de estos maravillosos preparados, se suelen clasificar en tres grupos: jugos verdes, jugos de verduras y jugos de frutas.

- *Jugos de fruta.* Tienen como principal característica su acción limpiadora. Sin embargo, también poseen otras cualidades curativas que varían según el tipo de fruta. Uno de los jugos más populares por su acción limpiadora o depurativa es el de sandía o patilla, que se hace con la cáscara, las semillas y pulpa. Otra cualidad de los jugos de frutas es que combinan muy bien entre sí y con algunas verduras.

- *Jugos o bebidas verdes.* Se caracterizan porque estimulan las células y poseen la cualidad de rejuvenecer el cuerpo y producir glóbulos rojos. En este grupo se destacan las preparaciones que incluyen los retoños, porque contienen clorofila que ayuda a sanar y limpiar el organismo. Algunas de las plantas que se utilizan para preparar este tipo de jugos son las espinacas, el apio, el repollo o col, las hojas de diente de león, los retoños de alfalfa o raíz china y otras verduras similares.

- *Jugos de verduras.* Se elaboran con plantas frescas, y en general, actúan como regeneradores y eliminan el exceso de proteínas tan frecuente en las dietas modernas, las grasas y los desechos ácidos del organismo. De igual forma, tienen la cualidad de apoyar y fortalecer el sistema inmunológico y de proteger contra las enfermedades.

LOS JUGOS EN ACCIÓN

Muchos médicos y profesionales de la salud, con el propósito de integrar los adelantos de la ciencia y diversas terapias no convencionales, han retomado algunas tradiciones de nuestros antepasados, relacionadas con la alimentación como uno de los elementos básicos para mantener o mejorar la buena salud. Este punto de vista resulta tan importante, que casi cualquier tratamiento convencional para mejorar el estado de salud o curar a las personas, se apoya en alguna sugerencia alimentaria. Por tal razón, los médicos recetan además de fármacos, dietas especiales que apoyan y ayudan a la curación.

En ese sentido los jugos ofrecen muchos beneficios para el tratamiento de múltiples enfermedades y contribuyen a prevenir algunas de ellas. El gran valor de estas bebidas radica en que todas las sustancias que contienen propician la curación, dan energía y ofrecen protección. Por supuesto, no se trata de "magia" en un vaso. Los jugos son muy útiles si se sigue un plan dietético adecuado, combinado con un ejercicio físico razonable. Las terapias con jugo han ayudado a miles de personas a recuperarse de enfermedades y a mejorar su calidad de vida.

Cuando inicie un programa con jugos, es recomendable que lo haga de manera gradual, especialmente si no está acostumbrado a incluir en su vida diaria estas bebidas. Por lo general, las personas que desean incluir esta opción nutricional en su dieta, empiezan por incrementar la cantidad de vasos diarios con jugos de su predilección, como los de naranja, guayaba, manzana. Más adelante escogen otros jugos con un beneficio específico para la salud.

Cuando inicie su programa de jugos recuerde que estas bebidas son bajas en fibra, por lo cual es necesario complementarlas con alimentos ricos en fibra que faciliten la digestión, como los granos enteros, la verdura, el salvado y la fruta cruda. La terapia de jugos también requiere tiempo y paciencia. Si es novato en el asunto, lo recomendable es que inicie su programa con tres vasos de jugo al día, como máximo. Después de acostumbrar al organismo a estas bebidas, y bajo un atenta vigilancia sobre las reacciones del organismo ante una sustancia o planta determinada, podrá llegar a tomar hasta seis vasos de jugo al día. En general, se puede decir que los jugos de frutas depuran o desintoxican mientras que los de verdura sanan y restauran.

TENGA EN CUENTA EN SU RUTINA DIARIA

Hacer ejercicio regularmente

Disminuir en su dieta la cantidad de alimentos de origen animal, como la carne.

Consumir más frutas y verduras frescas.

Beber como mínimo 1,5 litros de agua al día.

Tomarse tiempo para descansar.

Controlar o beber menos alcohol. Dejar de fumar.

Resulta muy conveniente diluir algunos jugos con un poco de agua, especialmente aquellos de color verde oscuro (como los de berro, espinaca o brócoli) y los jugos de vegetales de color rojo oscuro (como los de remolacha o repollo morado). Una buena medida para lograr hacer menos fuertes estas bebidas consiste en mezclar cuatro partes de agua por una de jugo. También puede optar por mezclar con otro jugo más suave (cuatro partes del jugo más suave por una del más fuerte), opción que resulta conveniente si se tiene práctica y el organismo está acostumbrado. La razón por la cual se recomienda hacer más ligeros estos jugos estriba en que su sabor es muy fuerte y sus efectos poderosísimos.

ALGUNAS IDEAS SOBRE LAS CANTIDADES

La mejor recomendación que se puede hacer al iniciar un programa con jugos de frutas y verduras es hacerlo lentamente y guiarse por el sentido común. Reviste importancia vigilar las diferentes reacciones que ocurren en el cuerpo con el fin de evaluar las plantas que le resultan más apropiadas a su organismo y en qué cantidad.

Es conveniente consumir varios jugos de frutas al día. Son amigos refrescantes en la mañana, que reponen de la deshidratación nocturna y brindan energía para iniciar la jornada. Acudir entre dos y cuatro veces al día a estas bebidas puede resultar un buen complemento nutricional. De igual forma, un vaso de jugo puede ser una buena manera de reestablecer los líquidos del cuerpo en personas (como los deportistas, por ejemplo) que por su actividad requieren mayor cantidad de ellos.

En general, se recomienda beber los jugos frescos con el estómago vacío; pueden ser buenos momentos para ello, media hora antes de las comidas, media hora después o entre los tentempiés o meriendas. También se sugiere tomar cantidades equivalentes de jugos de frutas y verduras al igual que variarlos, con el fin de obtener una óptima digestión y para evitar el consumo excesivo del azúcar que contienen de las frutas.

ALGUNAS ADVERTENCIAS

▪ Como los jugos de fruta tienden a incrementar rápidamente los niveles de azúcar de la sangre, resultan desaconsejables para personas que padecen enfermedades relacionadas con el consumo de azúcar.

▪ Quienes padecen de hipoglucemia o diabetes, tienen tendencia a padecer erupciones cutáneas o a desarrollar hongos en el tracto digestivo, deben consultar a un médico antes de incrementar los jugos en su dieta, sobre todo los de fruta.

▪ Tenga presente en su terapia de jugos que no siempre es cierto aquello de que cuanto "más jugo" más rápido será el resultado.

▪ La terapia de jugos naturales no entra en conflicto con otras formas de tratamiento y a menudo se utilizan en conjunción con ellos. Sin embargo, es necesario advertir que las recetas incluidas en este libro no deben sustituir el consejo de un médico.

▪ Es erróneo pensar que se pueda seguir durante varios días un régimen basado exclusivamente en jugos. Evitar otro tipo de alimentos y nutrientes puede disminuir las capacidades físicas y mentales.

HÁGALO
USTED MISMO

HÁGALO USTED MISMO
Los jugos en nuestra cocina

En muchos hogares de América tropical, los jugos de frutas siempre están presentes en la nevera y acompañan a las personas en las diferentes comidas del día. Esta tradición se debe, en especial, al gusto que todos sentimos por la gran variedad de sabores y olores que nos obsequian las frutas en estas regiones del planeta. De igual manera, la ausencia de estaciones nos brinda la oportunidad de disfrutarlas a lo largo del año y beneficiarnos de los precios, porque siempre hay alguna fruta en cosecha.

Con las verduras ocurre algo diferente. Por lo general, las utilizamos frescas, en ensaladas o cocinadas, para complementar el sabor de ciertos platos. Raras veces acudimos a ellas para preparar jugos; una de las excepciones es el clásico jugo de naranja con zanahoria, utilizado sabiamente como fuente de vitaminas y minerales. Sin embargo, las verduras también pueden ser materia prima de gran variedad de jugos que complementen de manera saludable nuestra alimentación diaria.

Tener a los jugos como aliados de la salud no reporta demasiado trabajo y los beneficios son innumerables. Se convertirá en un procedimiento fácil y económico si se aprovechan los precios de los alimentos que estén en cosecha. Algunos sencillos procedimientos permiten disfrutar gran variedad de jugos atractivos, nutritivos y rebosantes de nutrientes saludables.

Los utensilios necesarios para la preparación de estas bebidas son comunes en todos los hogares y no requieren grandes inversiones. Quizás el más estratégico y, a la vez, el que requiere más atención en su selección, es el utilizado para extraer el preciado líquido de frutas y verduras.

Equipo básico para preparar jugos:
- El extractor de jugos o licuadora.
- Un cepillo pequeño de cerdas duras para limpiar de manera adecuada las verduras.

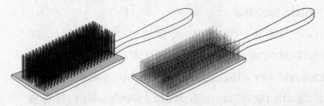

- Una balanza pequeña para pesar los ingredientes.

- Una tabla para cortar (es preferible que no sea de madera, porque resulta difícil de limpiar).

- Un cuchillo de acero inoxidable.
- Una jarra medidora de líquidos.

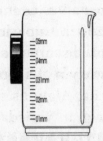
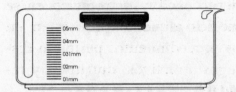

- Una jarra con tapa para almacenar los jugos preparados.
- Un colador destinado únicamente a este fin.

Quizás el utensilio más importante para la preparación de los jugos sea la licuadora o extractor. Como es un tema importante lo trataremos más adelante. Por lo pronto, quisiéramos llamar la atención en uno que aunque parezca muy común y presente en todos los hogares, ocupa un lugar central en la elaboración de jugos y, en general, en el uso que damos a las frutas y verduras. Se trata del cuchillo.

El cuchillo puede ser un aliado de las frutas y verduras, así como de todos los alimentos o, por el contrario, convertirse en un enemigo de su valor nutritivo. En el comercio se encuentran cuchillos que no son de acero inoxidable, a precios muy tentadores. Hacer una pequeña inversión y comprar un cuchillo de acero inoxidable no sólo facilitará la labor, sino que, además, ayudará a conservar las valiosas sustancias nutritivas presentes en los alimentos. Los cuchillos de otros materiales, al cortar o pelar los vegetales destruyen parte de las vitaminas que sufren la acción del oxígeno del aire, y aumentan así las pérdidas del valor nutritivo.

Las restantes herramientas, por ejemplo, el cepillo (muy útil para la limpieza de alimentos como la papa), la balanza, la tabla de cortar, las jarras y el colador, son comunes en los hogares y la oferta en el comercio es muy amplia.

LA LICUADORA, AMIGA MULTIUSOS

Uno de los primeros electrodomésticos que se compran para equipar un nuevo hogar, es la licuadora. Por lo general, nuestra decisión la determina el precio, porque son muchas las necesidades y requerimientos y procuramos ahorrar en cada uno de los artículos que vestirán nuestra nueva casa o apartamento.

Sin embargo, conviene revisar si esa licuadora es la adecuada para la elaboración de jugos con fines curativos. En primer lugar, el aparato debe extraer eficientemente el jugo de la mayoría de frutas y verduras. Debe ser, además, fácil de limpiar y, por tanto, sencilla de montar y desmontar. Como se utilizará a menudo, debe ser confiable y no dar la impresión de que se va a salir el líquido cada vez que se usa. De igual manera, su conexión eléctrica debe permanecer en óptimo estado para evitar incómodos accidentes.

Existen en el mercado diversos tipos de licuadoras y sus precios varían desde muy razonables hasta muy elevados en aparatos sofisticados. Si usted apenas comienza a experimentar con la elaboración de jugos, una licuadora sencilla le ofrecerá buenos resultados. Con el tiempo y según sus necesidades, puede proveerse de aparatos más costosos, que le ofrezcan un servicio más completo. Por el momento, le sugerimos no hacer grandes inversiones y, en consecuencia, las recetas que presentamos describen procedimientos que utilizan la licuadora más popular en los hogares.

Los siguientes párrafos describen las licuadoras y exprimidoras más comunes en el mercado. Allí encontrará una acorde con sus necesidades y las de su familia. Hay que señalar que una licuadora sencilla también puede ser utilizada en la preparación de jugos elaborados con cítricos. Por este motivo, no hay necesidad de tener una licuadora y un exprimidor de naranjas, por ejemplo, aunque el jugo procesado en una licuadora convencional lucirá algo más blanco que el obtenido con exprimidor. Dicha apariencia está dada por la parte blanca de la fruta, que también se licua,

mientras que al exprimirse sólo se obtiene el zumo. Por último, debe tenerse en cuenta que la licuadora tradicional puede presentar algunos problemas al licuar frutas y verduras con muchos hilos (como, por ejemplo, las raíces chinas o la alfalfa). Estos productos tienden a ser difíciles de procesar y se obtienen mejores resultados con licuadoras más sofisticadas.

LICUADORA TRADICIONAL O CENTRIFUGADORA

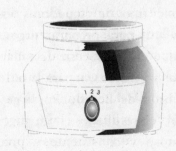

Este aparato es una herramienta muy útil en la cocina. Con ella se pueden convertir sopas en cremas, hacer purés de verduras, jugos y batidos. Cuando compre una licuadora conviene fijarse que, por lo menos, tenga dos velocidades (alta y baja). También es recomendable elegir la más grande posible porque cuando el recipiente está lleno hasta la mitad, rara vez funciona bien, exige un atento trabajo y demanda mucho más tiempo todo el proceso. El recipiente debe ser de cristal fuerte o de plástico resistente, en ambos casos transparente, para observar cómo va la preparación. Una pequeña abertura en la tapa es útil para agregar algunos ingredientes sin salpicarse.

Este tipo de licuadoras es muy útil para preparar jugos, porque en el proceso de rallar frutas y verduras, separa la pulpa fibrosa del líquido. Por lo general, el resultado es un jugo cremoso y consistente y una pulpa que puede ser colada con facilidad.

EXPRIMIDORAS DE CÍTRICOS

La gran cantidad de marcas y modelos de este electrodoméstico permite elegir la más adecuada a cualquier presupuesto. Aunque es posible extraer el jugo de naranjas, limones, limas y toronjas o pomelos con una licuadora convencional, este aparato ayuda a obtener un zumo más claro y ligero.

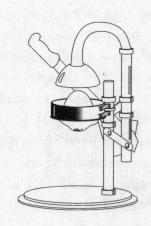

En esencia, existen dos tipos de exprimidores de cítrico; el más rústico puede ser de plástico y con él se retuerce la fruta para extraer el zumo. También es común el exprimidor metálico, que debe ser instalado en una mesa o superficie sólida; en él, uno de sus extremos, accionado por una palanca, ejerce presión sobre el otro, en el que se coloca la fruta para extraer el líquido. El segundo tipo de exprimidor es eléctrico, que resulta muy práctico e higiénico. Dispone de un pequeño motor que presiona la fruta, y de un vaso, por lo general de plástico. Este último requiere poco esfuerzo en su utilización, así que para las personas mayores o para quienes padecen algún problema de reumatismo o artritis, es un exprimidor ideal.

LICUADORAS TRITURADORAS

La ventaja de estos aparatos consiste en que trabajan por presión, lo cual les permite entregar una mayor cantidad de jugo de frutas y verduras. Algunas de estas sofisticadas licuadoras —las de compresión hidráulica—, llegan a ejercer una presión de entre tres y cinco toneladas sobre la fruta, por lo cual son más costosas.

En general, estas máquinas trituran el material vegetal y lo pasan por un tamiz que separa el jugo de la pulpa, de manera que resultan apropiadas para trabajar con frutas y verduras cuyas cáscaras son fuertes y duras. Hay que señalar, además, que el jugo así obtenido es el más completo desde el punto de vista de los nutrientes.

SI NO TIENE AÚN UNA LICUADORA...

Si desea preparar sus jugos en casa, no se detenga por falta de licuadora. Si bien es una herramienta útil, que ahorra tiempo y energía, existen alternativas mientras compra dicho equipo. Siga entonces este sencillo procedimiento y disfrute las delicias que nos regala la naturaleza.

Lo primero que debe hacer es rallar la verdura y la fruta en un recipiente. Después, coloque la planta rallada en una tela fina o muselina muy limpia. Cierre la tela de forma que le quede un bulto en el centro y exprima muy fuerte sobre una jarra. Luego, si lo considera necesario, pase el jugo por un colador fino.

UNA ÚLTIMA RECOMENDACIÓN...

Recuerde la importancia de limpiar y secar bien la licuadora, cualquiera que sea el modelo elegido para la preparación de jugos. Cada vez que la utilice debe asearla con cuidado para evitar residuos que contaminen los alimentos la próxima vez que la use. Conviene desarmar la licuadora y lavar cada una de sus partes. En las licuadoras tradicionales o centrifugadoras, los vasos de plástico o vidrio se separan fácilmente de la parte de las cuchillas.

MANOS A LA OBRA

UN PRIMER PASO: LA LIMPIEZA

La primera regla cuando se va a trabajar con alimentos es la limpieza absoluta de las manos y de todos los utensilios de cocina antes de iniciar cualquier preparación culinaria. El aseo constituye un poderoso aliado de la salud.

De igual forma, las frutas y verduras deben ser lavadas antes de consumirse o utilizarse en las preparaciones, con el fin de eliminar todo tipo de adherencias y sustancias con las que han sido tratadas. Es recomendable que estos ingredientes se laven enteros para no desperdiciar muchos de sus valiosos nutrientes.

Hay diferentes formas de lavar frutas y verduras, según su forma y textura. Las hojas de la lechuga, por ejemplo, pueden moverse sobre una fuente con agua para que se desprenda la suciedad. Después se escurren con movimientos enérgicos. Con las papas y los rábanos se trabaja de forma diferente. Un cepillo de cerdas duras ayudará a realizar la labor de limpieza. Este procedimiento elimina impurezas, rastros de tierra y sustancias químicas que se depositan en la piel de estas plantas. En todos los casos es indispensable que el agua utilizada en el lavado sea de buena calidad. Si por alguna razón desconfía, no dude en hervirla antes de beberla o de emplearla en el lavado y preparación de las comidas.

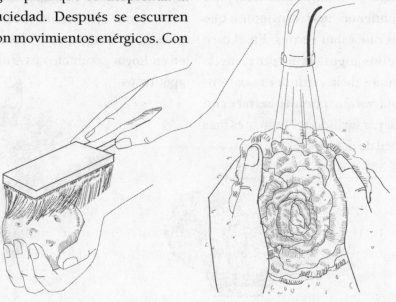

LA SELECCIÓN DE LOS INGREDIENTES

Para la fruta y la verdura, la frase "cuanto más natural más sano", encaja perfectamente. Los alimentos vegetales ideales son los crudos y no procesados, así como aquellos que han sido adecuadamente cuidados. Conviene comprar productos bien cultivados y que se certifiquen regados con agua limpia y libre de agentes tóxicos, aunque resulten un poco más costosos. También debemos inclinarnos por frutas y verduras maduras, pues contienen más nutrientes que las que están verdes. En el caso de los jugos, la madurez de la fruta y de la verdura es una ventaja porque permite extraer con mayor facilidad el jugo, y es más fácil de digerir.

La mejor fruta que se puede adquirir es la que está en cosecha, ya que además de un precio favorable, es posible escogerla entre muchos ejemplares. Vale la pena insistir que conviene llevar la fruta madura, con algunas excepciones, como bananos y peras, que completan su desarrollo rápidamente y, por tanto, pueden comprarse en diferentes grados de maduración para que estén a punto en distintos días y no todas a la vez. Compre solamente la fruta que necesite en cada momento o según el plan nutricional que se haya propuesto, de forma que sólo tenga en su hogar productos frescos y apetitosos.

La verdura también se debe comprar fresca y madura. No se preocupe si observa las hojas poco atractivas en plantas como lechugas, repollos o coles de Bruselas, porque precisamente estas hojas contienen más nutrientes y resultan muy valiosas en la preparación de jugos. Seleccione las verduras que luzcan un color más intenso, porque poseen mayor cantidad de antioxidantes. De igual forma, prefiera las plantas sanas, firmes al tacto, libres de picaduras y magulladuras. Recuerde que la calidad de estas plantas determinará el valor nutritivo y curativo de los jugos que se hagan con ellas.

Para la realización de estas bebidas es importante utilizar fruta y verdura fresca y sana. Los resultados no serán los mismos si acude a pulpas congeladas de fruta o a verdura deshidratada o sometida a tratamiento de frío. De igual manera, descarte aquella que se ofrece en lata, en conserva o seca. Por último, prescinda de los jugos elaborados industrialmente, que vienen en frascos o cajas, porque contienen sustancias químicas y poseen un bajo valor biológico.

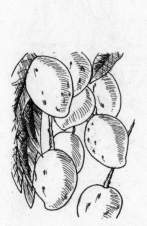

Muchos mercados y super-mercados están ampliando su oferta de frutas y verduras y empiezan a prestar especial atención a la forma como han sido cultivadas. Aunque un poco más costosas, estas frutas y verduras representan una gran ventaja en la cocina, pues no han sido expuestas a fumigaciones agresivas ni tratadas con fertilizantes u otros productos químicos. Tampoco han sido alteradas para inhibir la maduración durante su transporte y almacenamiento y en las cáscaras o capas externas no existirán residuos químicos.

Si bien es cierto que en frutas y verduras de piel gruesa —berenjenas, calabazas, cocos—, usualmente los químicos no penetran en su interior, otros productos con piel fina —manzanas, zanahorias, guayabas— son más permeables a los tratamientos químicos de cultivo y conservación. De manera que, aunque se laven intensamente estos últimos, ello no garantiza la eliminación de todo residuo químico.

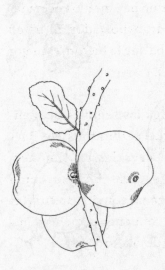

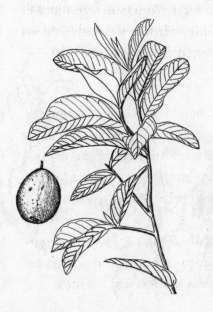

JUGOS EN UN DOS POR TRES

Preparar jugos que conserven todas sus cualidades nutritivas y curativas es muy fácil. En realidad, sólo se necesitan productos de primera calidad y una licuadora confiable. Sin embargo, resumir los pasos más importantes para su elaboración y tener en cuenta algunos trucos, puede hacer esta tarea más sencilla y productiva. Las siguientes pautas ayudan a obtener en un vaso todas las cualidades que brindan las plantas.

▪ Cuando seleccione las plantas, y siempre que pueda, utilice frutas y verduras cultivadas orgánicamente. De esta manera logrará un jugo lo más puro posible.

▪ Utilice plantas maduras porque en ese momento poseen intactos todos sus nutrientes.

▪ Antes de preparar el jugo lave muy bien las verduras y frutas y quíteles cualquier impureza o magulladura. Recuerde que algunas plantas (como las papas, por ejemplo) requieren ser cepilladas para eliminar todo rastro de tierra y otras sustancias.

▪ Por lo general, las cáscaras de frutas y verduras se utilizan siempre que no hayan sido enceradas por el transportador. Si usted sospecha que lo fueron, es mejor pelarlas.

▪ Extraiga las semillas de mangos, ciruelas, duraznos, etc. Puede conservarlas en limones, melones y uvas. En casos como la manzana, conviene retirarlas porque contienen pequeñas cantidades de cianuro.

- Corte en tajadas o trozos la fruta y verdura. Con un poco de práctica aprenderá a calcular el tamaño ideal para que su licuadora o extractor funcione de manera adecuada.

- El último paso es colar el jugo, si le molesta la consistencia.

ALGUNOS TRUCOS Y CONSEJOS

- Si algún jugo le resulta de sabor un tanto fuerte o desagradable, puede incorporarlo a una sopa o guiso. Evite calentar o cocinar el jugo, ya que de esa manera pierde los nutrientes.

- Los jugos para los niños deben estar siempre diluidos. Conviene consultar con un pediatra si se trata de niños muy pequeños. El agua sin gas es la mejor opción para hacer más tranquila la digestión de los pequeños. También se pueden mezclar con soda o limonada.

- Para asegurar que todas las vitaminas y minerales queden en los jugos (con pocas excepciones, como la naranja y la toronja, entre otras), utilice la cáscara.

- En frutas como la naranja y la toronja o pomelo, se retira la cáscara para hacer los jugos. Sin embargo, trate de licuarlas con la cubierta blanca que envuelve la fruta porque ella contiene valiosas sustancias (como bioflavonoides y vitamina C).

- Por lo general, las frutas y verduras contienen gran cantidad de agua. Sin embargo, algunas son un tanto "secas" (por ejemplo, el banano, el pimentón o pimiento y el aguacate) y es imposible exprimirlas. En estos casos conviene preparar un jugo de otras frutas y verduras ricas en agua y, al final, mezclar las "secas". Por último, se ponen todas juntas en la licuadora.

▪ Es importante preparar sólo la cantidad de jugo que se va a consumir en cada ocasión, pues los nutrientes contenidos en las frutas y las verduras son muy sensibles y volátiles. Por ejemplo, las valiosas vitaminas de un jugo de naranja sólo se conservan en el vaso por 20 minutos, de manera que nunca debe guardarse porque pierde gradualmente los nutrientes.

▪ Si desea enfriar un jugo sin diluirlo ni meterlo en la nevera, puede introducir una bolsa plástica muy limpia, con algunos cubos de hielo y bien cerrada, en la jarra de jugo.

Sólo frutas y verduras

SÓLO FRUTAS Y VERDURAS
Desde abacaxi hasta zanahoria

En las páginas siguientes usted conocerá los aspectos más interesantes y útiles de las plantas tratadas en este libro. Es una información importante, que le permitirá apreciar cada una de las frutas y verduras, así como ampliar sus conocimientos. De igual manera, le facilitará confeccionar su plan de jugos o recurrir a ellos para mantener o mejorar su salud.

Esta selección de frutas y verduras ha tenido en cuenta sus beneficios nutritivos así como su popularidad entre las familias andinas, con el fin de obtener un conjunto de frutas y verduras muy conocidas, de uso frecuente en los hogares y fáciles de conseguir (siempre que haya cosecha). Por supuesto, existen muchas otras plantas útiles y de poderosos efectos porque la naturaleza es generosa e inevitablemente hay ausencias en esta selección. Sin embargo, en su conjunto ofrece una amplia y provechosa gama de posibilidades.

Para facilitar su búsqueda, las plantas han sido ordenadas alfabéticamente e incluyen varias denominaciones, según la región donde se cultivan. Además, cada fruta y verdura incluye su nombre científico, una corta descripción, el contenido de sus principales nutrientes, sus cualidades nutritivas y curativas y las precauciones en su utilización (cuando son necesarias).

Si usted sigue algún tratamiento médico o está en embarazo, conviene hablar con su médico antes de seguir una terapia con jugos.

Todos los libros de la colección "El poder curativo de..." incluyen una serie de iconos cuyo objetivo es facilitar la consulta. Tales símbolos, que se explican a continuación, resumen de manera gráfica las características más importantes de cada planta.

 Este icono aparece al lado de las frutas y verduras apropiadas para el consumo infantil. Aunque en general estos productos vegetales son aptos para niños después de cierta edad, algunos de ellos se destacan por ser aliados contra determinadas enfermedades. Resulta importante recordar que el jugo de los pequeños debe diluirse. De igual forma, es necesario que un pediatra indique el momento en que estas bebidas pueden entrar a formar parte de la dieta de los bebés, así como su compatibilidad con ciertos medicamentos. Por último, conviene prestar atención a las respuestas del niño en cuanto a gusto y tolerancia a la fruta o verdura, porque todos los organismos son diferentes.

Este símbolo indica que una determinada verdura o fruta ofrece ciertos beneficios atractivos para la mujer. Aunque en general dichas plantas reportan provecho a todas las personas, este icono llama la atención de las lectoras para que acudan a cierta fruta o verdura durante etapas de la vida como el embarazo y la menopausia. Se incluyen, además, algunas ideas útiles para la belleza de la piel, el cabello, los dientes, el peso, etc., y que bien pueden ser compartidas con otros miembros de la familia.

Esta imagen remite a información interesante en especial para los abuelos. Algunas de las recetas son apropiadas para aliviar problemas que aparecen después de los 50 años, como deficiencias circulatorias y dificultad en la digestión. En general, las plantas marcadas con este icono contribuyen a mantener la buena salud y previenen o reducen la intensidad de algunos síntomas que inevitablemente vienen con la edad. Si se está utilizando algún medicamento convencional, es prudente consultar al médico antes comenzar algún tratamiento con jugos, al igual que diluir los más fuertes en agua o con otros jugos.

Este icono destaca aquellas frutas y verduras consideradas indispensables en todo hogar. Aunque el concepto puede variar (por los gustos, composición del hogar y disponibilidad en el mercado), busca orientar sobre las plantas más provechosas. En total se sugieren cinco frutas y cinco verduras poderosas en composición y recomendables para tratar un amplio número de enfermedades comunes. De todas maneras, usted puede variar y enriquecer esta selección.

Este libro dedica una sección especial a la preparación de jugos caseros que en cantidades y combinaciones específicas ofrecen buenos resultados a ciertos padecimientos comunes. Este icono invita a consultar la sección "Recetas fáciles para dolencias comunes". Recuerde que es importante vigilar la tolerancia de su cuerpo a la planta y ser fiel a las cantidades sugeridas.

ABACAXI

Ver piña

ACEITUNA

Olea europaea L. *Oleaceaceae*

Otros nombres comunes

Oliva

CARACTERÍSTICAS

El árbol del olivo mide unos cinco metros de altura y sus frutos proporcionan el valioso y sabroso aceite. En el mercado se encuentran olivas violeta, verdes y negras, que en nuestros países se ofrecen en lata o frascos. La oliva verde (no madura o semimadura) contiene un principio amargo muy fuerte que sólo se atenúa con soluciones alcalinas y agua salada.

CONTENIDO

La vitamina más destacada en la aceituna es la A. En cuanto a los minerales, este fruto contiene calcio, fósforo, hierro, sodio (especialmente si está encurtido) y potasio.

USOS

El aceite de oliva tiene un agradable sabor y bajo contenido de colesterol. Entre sus múltiples propiedades medicinales aparece su acción como activador hepático y biliar y como reductor del colesterol "malo" (LBD). El jugo usado externamente es un aliado de la belleza porque brinda a la piel elasticidad y tersura.

PRECAUCIÓN

Si debe usar las aceitunas encurtidas para hacer el jugo, conviene remojarlas y lavarlas varias veces para eliminar el exceso de sal; si sufre de hipertensión evite esta preparación con aceitunas encurtidas. Lo ideal sería usar el fruto fresco. Utilice este jugo en forma interna ocasionalmente.

AJO

Allium sativum

Otros nombres comunes

Lo que conocemos como ajo es el bulbo de esta planta.

CARACTERÍSTICAS

Se trata de un bulbo redondeado compuesto por gajos (llamados dientes). Crece hasta un metro de altura. Presenta hojas largas y alternas, flores blanquecinas o rosa pálido y su fruto está compuesto por unas pequeñas semillas de color negro y forma redondeada.

CONTENIDO

Rico en ácido fólico y vitaminas (sobre todo en vitamina C), además de pequeñas cantidades de B_1, B_2 y B_3, aminoácidos, mucílago y glucoquinonas. Contiene minerales como calcio, hierro, magnesio, potasio, sodio y pequeñas cantidades de zinc. El ajo es muy rico en allicina, aceite etéreo intensamente sulfuroso, que no sólo condimenta la comida sino que determina sus efectos terapéuticos.

Usos

Infecciones bacterianas, fúngicas, víricas y parasitarias. Crudo o cocido, el ajo se considera un poderoso antibiótico natural. Se usa para tratar enfriamientos, tos, congestión nasal, infecciones de oído y catarro. En las infecciones del tracto digestivo también ofrece buenos resultados. Su capacidad de diluir la sangre previene algunos problemas circulatorios y contribuye así a bajar los niveles de colesterol y de presión sanguínea. Constituye un aliado de las personas diabéticas pues reduce los niveles de azúcar en la sangre (por su capacidad de estimular la secreción de insulina). En ocasiones se combina con antibióticos convencionales, pues apoya su acción y protege de ciertos efectos colaterales. Investigaciones recientes han demostrado que actúa como un poderoso antioxidante y que protege al cuerpo de la contaminación y la nicotina.

AJO PORRO

Ver puerro

ANANÁ

Ver Piña

ANANASSA

Ver piña

APIO

Apium graveolens sativum

Otros nombres comunes
Panal
Apio de pencas

CARACTERÍSTICAS

Es una planta de la familia de la zanahoria. Los tallos, de un verde intenso, tienen por lo general un sabor tan delicado como los claros y amarillos del apio blanqueado o los de las variedades denominadas autoblanqueadas. Medicinalmente lo más utilizado son los tallos y las semillas.

con el ácido úrico. Es, además, útil para bajar la presión de la sangre y se le considera un buen antiséptico de las vías urinarias. El jugo de apio es famoso por su acción como limpiador del organismo y calmante de los estados nerviosos. Ayuda a las personas que quieren bajar de peso, sufren de asma, bronquitis, retención de líquidos, insomnio, calambres musculares, desórdenes nerviosos y problemas de riñones e hígado.

CONTENIDO

Rico en calcio, cloro, manganeso, fósforo, sodio (orgánico), potasio, azufre, vitamina A, ácido fólico, biotina, vitamina E y pequeñas cantidades, aunque importantes, de algunas vitaminas del complejo B y de vitamina C.

USOS

Posee efectos depurativos, carminativos, antiespasmódicos y diuréticos. Se recomienda a quienes sufren de artritis, gota, reumatismo y tienen problemas

PRECAUCIÓN

No conviene utilizar el apio como medicina durante el embarazo o si se padecen desórdenes del riñón.

AUYAMA
Ver calabaza

AYOTE
Ver calabaza

BANANA
Ver banano

BANANO

Musa sapientum

Banano común

Banana

Plátano

Habano

Guineo

la actividad enzimática en el metabolismo de la glucosa, proporciona energía y ayuda a la síntesis del colesterol y los ácidos grasos.

CARACTERÍSTICAS

El banano común es una fruta de forma cilíndrica, algo curva, con cáscara amarilla y manchas pardas, pulpa blanca, olor agradable y sabor dulce. Existen muchas variedades de banano que pueden variar de tamaño (como el banano bocadillo) y de sabor, unas veces más dulces que otras.

CONTENIDO

Calcio, fósforo, hierro, potasio, vitamina A, niacina y vitamina C son los principales nutrientes. También se destaca por ser una de las pocas frutas que contiene un pequeño porcentaje de cromo, micronutriente que al estimular

USOS

La fruta entera es nutritiva y de fácil digestión; los pediatras la recomiendan siempre que el bebé sea tolerante al banano (en algunos casos produce estreñimiento). En jugo se usa para tratar la gastritis, la diverticulitis, las hernias hiatales y, en general, las inflamaciones intestinales. Aunque su contenido de cromo es pequeño, resulta suficiente para estimular la actividad enzimática en el metabolismo de la glucosa. Ayuda, además, a sintetizar los ácidos grasos y el colesterol.

PRECAUCIÓN

A algunos bebés esta fruta les produce estreñimiento.

BERRO

Nasturtium officinale

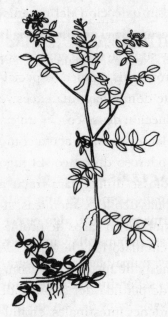

Otros nombres comunes

Berro de agua

Mastuerzo

Mastuerzo acuático

CARACTERÍSTICAS

El berro es una planta que gusta del agua y por esa razón crece de forma espontánea por toda Europa en lugares húmedos, arroyos y riachuelos. Las flores son blancas o amarillas y crecen dispuestas en ramos; las hojas, pequeñas y redondas, son muy apreciadas para ensaladas y tienen gran valor nutritivo.

CONTENIDO

Gran fuente de betacarotenos, el berro es, además, rico en vitaminas C y E y contiene pequeñas cantidades de vitaminas del complejo B y biotina. En cuanto a los minerales, ofrece calcio, cloro, hierro, magnesio, fósforo, potasio, sodio, azufre y, en menor grado, cobre y zinc. Vale la pena destacar que esta verdura es una excelente fuente de clorofila.

USOS

El berro, señalado como una de las verduras más apropiadas para la desintoxicación del organismo, estimula el apetito, alivia la indigestión, ayuda a curar casos de bronquitis crónica (especialmente donde hay una excesiva producción de moco), es un estimulante general y actúa como un poderoso diurético. El jugo no sólo se utiliza para tratar a personas débiles y anémicas, sino también en casos de problemas circulatorios, de vejiga, de riñones y de hígado, de insomnio, de pérdida del cabello, de desórdenes intestinales, en mujeres con desequilibrio endocrino, cuando se quiere perder peso, regular la tiroides y mejorar la piel.

PRECAUCIÓN

Por tratarse de un jugo muy fuerte en efectos y sabor, conviene diluirlo o combinarlo con otros jugos de verduras.

BETAVEL

Ver remolacha

BETERRAVE

Ver remolacha

BRÉCOL

Ver brócoli

BRÓCOLI

Brassica oleracea

Otros nombres comunes

Bróculi

Brécol

Espárrago italiano

Calabrés

CARACTERÍSTICAS

Aunque existen varios colores de brócoli, el más común en nuestros mercados es el verde. Al igual que su pariente, la coliflor, el brócoli consta de tallos y botones, con las hojas en segundo plano. Sin embargo, a diferencia de la coliflor, el brócoli no produce flores cerradas; sus "repollos" están formados por botones diferenciados, con reflejos entre verdes y azulados, dispuestos en tallos carnosos y en numerosos retoños laterales.

CONTENIDO

Es una rica fuente de betacarotenos, ácido fólico y vitamina C. Aunque en menor cantidad, contiene también vitaminas del complejo B. Los minerales que se destacan en esta planta son el calcio, el magnesio, el fósforo, el potasio y el sodio. En menor proporción, el cobre, el hierro y el zinc. También ofrece muchos y potentes antioxidantes, como la quercetina, el glutatión y el glucarato, entre otros.

USOS

Por su contenido de antioxidantes, esta planta se considera un buen recurso para prevenir ciertos cánceres, especialmente de pulmón, colon y seno. La combinación de hierro, vitamina C y folato hacen del brócoli un alimento valioso para quienes padecen anemia, fatiga crónica y, en general, para subir los niveles de energía. Posee cualidades antivirales, antiulcerativas y contribuye a regular la insulina y el azúcar en la sangre. En forma de jugo se utiliza para aliviar el asma, la rinitis alérgica, la tos e incrementar las sustancias naturales importantes para fortalecer el sistema inmunológico.

PRECAUCIÓN

Por tratarse de un jugo muy fuerte, conviene diluirlo con agua u otros jugos de verduras.

BRÓCULI

Ver brócoli

CALABACÍN

Cucurbita pepo spp. **convar.**
giromontiina

Otros nombres comunes

Zapallito
Zucchini
Zapallito en estado tierno
Calabacita italiana
Calabacita verde

CARACTERÍSTICAS

Desde el punto de vista botánico, esta verdura se describe como un fruto carnoso en baya de una planta de crecimiento rápido, no reptante y muy sensible al frío. Su nombre da algún indicio de sus parientes: la calabaza, el melón y el pepino. La corteza del calabacín es, por lo general, verde oscuro o verde claro, con motas de color gris claro o con estrías amarillas.

CONTENIDO

Verdura rica en fibra (cuando se consume como acompañamiento), hidratos de carbono, potasio, calcio, fósforo, vitaminas A, B_1, B_2, niacina y vitamina C. Aunque en menor cantidad, es fuente de sodio orgánico, mineral que en forma natural es provechoso para órganos como el hígado. La piel del calabacín, al igual que la de otras frutas y verduras, contiene betacaroteno, sustancia considerada precursora de la vitamina A, por lo que se recomienda utilizarla en los jugos.

USOS

Es una verdura beneficiosa para la piel y el tratamiento de sus problemas. Conviene comerla cruda, cocida ligeramente o en jugos, con su piel. El zumo obtenido al licuar el calabacín ha sido difundido por el médico antropólogo John Heinerman como un remedio efectivo para superar los síntomas de la fatiga crónica. Su aporte de calcio puede ayudar en circunstancias como los estados de debilidad.

Otros nombres comunes
Auyama
Chayote
Zapallo
Ayote
Pipián

CALABACITA ITALIANA

Ver calabacín

CALABACITA VERDE

Ver calabacín

CALABAZA

Cucurbita maxima

CARACTERÍSTICAS

Existen numerosos tipos de calabazas que básicamente difieren en su tamaño, forma y color. De las diversas clases de calabaza anual, aquí reseñamos la conocida como de estación fría, confitera o auyama (*Cucurbita maxima*), caracterizada por frutos voluminosos que, bajo su corteza dura y gruesa, luce una carne tierna y jugosa, de colores que van del blanco al rojo naranja pasando por el amarillo.

CONTENIDO

La calabaza tiene 95 por ciento de agua, hidratos de carbono, albúmina, calcio, fósforo, hierro, sodio, potasio y algo de magnesio. También es fuente de vitaminas A y C y niacina. Se destaca su contenido de betacarotenos.

USOS

El jugo, abundante en vitamina A, se utiliza en casos de alergias, problemas de la piel, trastornos de la visión, desequilibrios del azúcar, infecciones, articulaciones inflamadas, problemas pulmonares, niveles altos de colesterol y triglicéridos y trastornos del hígado.

PRECAUCIÓN

Es posible que el jugo de calabaza contribuya a dar a la piel un color ligeramente amarillo o anaranjado mientras el cuerpo procesa esta verdura.

CALABRÉS
Ver brócoli

CANTALUPO
Ver melón

CARAMBOLA
Ver kiwi

CATOCHE
Ver guanábana

CATUCHE
Ver guanábana

CEBOLLA
Género Allium

Otros nombres comunes

Existen cientos de tipos de cebollas, con su propio color, tamaño y sabor. Entre las más comunes en los mercados andinos se encuentran la cebolla cabezona, amarilla o arbórea (que reseñamos aquí), la cebolla roja o italiana, la cebolla larga, la junca, de verdeo o tierna, la puerro, el cebollino o cebollín, etc.

CARACTERÍSTICAS

Las cebollas expiden un olor particular. Son plantas más bien simples en su aspecto aéreo, de pocas hojas. La cebolla cabezona, amarilla o arbórea, es una de las más comunes y constituye aproximadamente 75 por ciento de la producción mundial. Se caracteriza por sus bulbos subterráneos y sus bulbos aéreos (en realidad, posee bulbos en lugar de flores).

CONTENIDO

Fuente abundante de ácido fólico y vitamina C, contiene además vitaminas del complejo B y biotina. La cebolla también es rica en calcio, cloro, magnesio, fósforo, potasio, sodio y azufre; en menor cantidad posee cobre, hierro y zinc.

USOS

Es diurética, antibiótica, antiinflamatoria, analgésica, expectorante, antirreumática y benéfica para el sistema circulatorio. Las enfermedades más tratadas con esta verdura son los enfriamientos, la gripe, la fiebre, el dolor de cabeza, las infecciones de la garganta y la tos. El jugo puro se utiliza en algunos lugares como tonificante y digestivo, aunque por lo general resulta de sabor demasiado fuerte. En este libro se recomienda más bien como un condimento o acompañamiento muy saludable para otros jugos.

CHAMBURO
Ver papaya

CHAYOTE
Ver calabaza

CHILE
Ver pimiento

CHILI

Ver pimiento

CHILPETE

Ver pimiento

CIRUELA PASA

Prunus domestica **L.**

Otros nombres comunes

Es la denominación
más universal.

CARACTERÍSTICAS

La ciruela pasa es una fruta deshidratada y constituye una de las formas más comunes de conservar la ciruela fresca. Se elabora de ciruelas rojas o moradas y ofrece una piel arrugada muy característica. Las ciruelas pueden secarse naturalmente en el propio árbol, pero es más frecuente ponerlas a secar al sol.

CONTENIDO

Esta fruta deshidratada es rica en fibra y sortitol.

USOS

Se le considera una especie de aspirina natural. Los ácidos de las ciruelas pasas (benzoico y quínico) depuran el sistema digestivo en corto tiempo. La literatura sobre el tema señala que la ciruela pasa en compota o jugo ayuda a superar el estreñimiento en los niños pequeños. En jugos, los adultos pueden utilizarlo para calmar la acidez que producen ciertas comidas y bebidas.

PRECAUCIÓN

Consulte al pediatra antes de suministrar el jugo o la fruta a los niños pequeños.

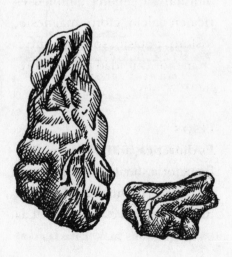

COHOMBRO

Ver pepino cohombro

COL

Ver repollo

CONCOMBRO

Ver pepino cohombro

COROMANDEL

Ver kiwi

ESPÁRRAGO ITALIANO

Ver brócoli

ESPINACA

Spinacia oleracea

Otros nombres comunes

Esta es la denominación más común.

CARACTERÍSTICAS

Aunque existen diversos tipos de espinacas que varían en el tamaño y textura de sus hojas, la más común en los mercados andinos es la bautizada como Savoy, de hoja muy crujiente. Esta verdura de hojas carnosas, produce una especie de roseta de hojas anchas, tiernas y arrugadas, de alto valor nutritivo.

CONTENIDO

Se destaca por su contenido en carotenos, ácido fólico, vitamina B_3 y C y en menor cantidad de B_1 y B_2. En cuanto a los minerales, es rica fuente de calcio, fósforo, hierro, sodio y potasio. Constituye, además, una excelente fuente de clorofila.

USOS

Como se trata de un jugo muy poderoso, debe diluirse en partes iguales con otros jugos o agua. Es un increíble limpiador y constructor del organismo, cualidades que estimulan y tonifican el hígado, la bilis, la circulación de la sangre y el intestino grueso. Fortalece dientes y encías y constituye un laxante suave. En enfermedades como anemia, cáncer, mala circulación, presión arterial alta, colitis, constipación, diabetes, problemas de visión, de la piel, de hígado y riñones, en males de origen nervioso, dolor de cabeza, mala digestión, infecciones y úlceras, se recurre a este poderoso jugo para acompañar dietas adecuadas.

PRECAUCIÓN

La espinaca contiene ácido úrico, de manera que quienes padezcan de artritis o gota deben evitarla. El jugo se utiliza dos veces a la semana, como máximo.

FRESA

Fragaria chiloensis

Otros nombres comunes

Frutilla

CARACTERÍSTICAS

Existen más de 1.000 especies de fresas, que se dividen en dos grandes grupos: los fresones, producidos en Europa, y las frutillas, oriundas de América. Es una fruta muy familiar, de bonito color y forma peculiar que nos hace pensar en el corazón. Presenta a simple vista unos pequeños puntos amarillentos (las semillas) dispuestos alrededor de la fruta en forma geométrica y armoniosa.

CONTENIDO

Fruta rica en betacarotenos, ácido fólico, biotina y vitamina C. También posee pequeñas cantidades de vitaminas del complejo B y E. En cuanto a los minerales, contiene principalmente calcio, cloro, magnesio, fósforo, potasio, sodio y azufre y cantidades menores de cobre, hierro y zinc.

USOS

Ligeramente laxante, promueve la producción de orina, aumenta la eliminación del ácido úrico, promueve el metabolismo normal del hígado, de las glándulas endocrinas y del sistema nervioso. Incrementa las defensas del organismo, posee propiedades bactericidas y desintoxica el organismo. Tiene la cualidad de abrir el apetito, lo que conviene a personas que padecen enfermedades como la anorexia. Su jugo se recomienda para personas con anemia e hipertensión.

PRECAUCIÓN

Los pediatras desaconsejan esta fruta para los niños y a algunas personas les puede producir alergias. Vigile la procedencia de esta fruta, porque suelen fumigarla en exceso.

FRUTA BOMBA

Ver papaya

FRUTA DE LA PASIÓN

Ver maracuyá

FRUTILLA

Ver fresa

GRANADILLA

Passiflora linguralis

Otros nombres comunes

Granadita
Parcha amarilla
Parcha coloniera
Granadilla dulce
"Mocos de carbonero"
(nombre usado por el escritor
Germán Arciniegas).

CARACTERÍSTICAS

Es una enredadera de hojas lisas, ovaladas y de color verde grisáceo. La fruta es esférica, de unos ocho centímetros de diámetro, de color amarillo salpicada de pecas marrones en la madurez. La cáscara es dura (aunque quebradiza) y resistente al transporte.

CONTENIDO

Calcio, fósforo y hierro son los minerales que aparecen con mayor abundancia en esta fruta. En cuanto a las vitaminas, se destacan la riboflavina, la niacina y el ácido ascórbico.

USOS

El jugo de esta fruta, amiga de los bebés, es delicioso, refrescante y muy suave al estómago. Contribuye al sano crecimiento de los pequeños y fortalece su sistema digestivo. Por lo general, los pediatras indican el momento en que se les empieza a dar este jugo. Es también una aliada de las madres porque combate la acidez que se presenta en ciertas etapas del embarazo. Para las personas que sufren de estreñimiento, el jugo de granadilla en la mañana es de gran ayuda.

PRECAUCIÓN

Reviste importancia observar la tolerancia del niño a la granadilla, es decir, si le gusta, si no presenta reacciones alérgicas o si no produce efectos negativos sobre su organismo.

GRANADITA

Ver granadilla

GUANÁBANA

Annona muricata L.

Otros nombres comunes
Guanábano
Catuche
Catoche

CARACTERÍSTICAS

La deliciosa y aromática guanábana es producida por un árbol mediano, que alcanza entre cuatro y siete metros de altura. Prospera en climas de 20 a 25 grados centígrados y en altitudes hasta de 1.800 metros sobre el nivel del mar. Existen diferentes variedades que se manifiestan en las espinas carnosas, el tamaño del fruto, la forma de las hojas y el tamaño del árbol. La

forma de esta fruta es ovoide y su cáscara verde oscura está tachonada de pequeñas "tetillas". La pulpa, voluminosa, blanca, cremosa, jugosa y de suave aroma, está compuesta por las numerosas semillas y por los "copos" o carne de la fruta.

CONTENIDO

Ácido ascórbico, tiamina, riboflavina y niacina, son las vitaminas en que abunda esta fruta; en cuanto a los minerales, calcio, fósforo y hierro alcanzan el más alto porcentaje.

USOS

Algunos autores afirman que la fruta madura es antibiliosa, antiescorbútica y vermífuga y que es recomendable para quienes padecen enfermedades reumáticas y gota. Gracias a su composición favorece la digestión y la salud de la flora intestinal, fortalece el colon y resulta útil en casos de estreñimiento. La guanábana es una de las primeras frutas que se pueden incluir en la alimentación del bebé. La edad apropiada la decide el pediatra.

PRECAUCIÓN
Recuerde comprobar la tolerancia del niño a la fruta antes de incluirla de manera definitiva en su dieta.

GUANÁBANO
Ver guanábana

GUARA
Ver guayaba

GUABA
Ver guayaba

GUAYABA
Psidium guajava L.

Otros nombres comunes
Guayabo, guaba, guara.

CARACTERÍSTICAS
En los mercados se encuentran fundamentalmente dos tipos de guayaba: la de carne roja y la blanca. Se trata de una baya que adopta formas redondas y aperadas. Las hay de diversos tamaños y pueden pesar desde 25 hasta 500 gramos. Esta aromática fruta proviene de un árbol que alcanza entre dos y ocho metros de altura, aunque algunas variedades llegan a doce metros. Su corteza es lisa y se descascara en placas que dejan al descubierto su corteza interior.

CONTENIDO
Fruta rica en carbohidratos y vitaminas A, B, C y G. Su contenido de vitamina C supera entre dos y cinco veces al jugo de la

naranja. Otras vitaminas y minerales presentes en la guayaba son el calcio, el fósforo, el hierro, la tiamina, la riboflavina, la niacina y el ácido ascórbico.

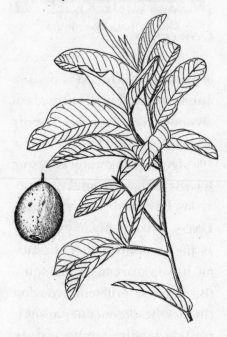

Usos

La guayaba es un excelente recurso por su sabor y propiedades. Muchas publicaciones la recomiendan para la prevención de infecciones, enfermedades del corazón, accidentes cerebrovasculares y ciertos tipos de cáncer. Es una fruta apropiada para los bebés. Una terapia de jugo de guayaba puede prevenir resfriados y gripas, si se utiliza cuando aparecen los primeros signos de malestar. Popularmente se acude a la guayaba para controlar la artritis en las personas mayores.

Precaución

Antes de incluirla definitivamente en la dieta infantil es importante comprobar la tolerancia del organismo de los niños a la fruta. A algunos bebés les puede producir estreñimiento.

Guayabo

Ver guayaba

Guineo

Ver banano

Habano

Ver banano

Higuera de las Indias

Ver papaya

HINOJO

Foeniculum vulgare

Otros nombres comunes

Esta es la denominación más común.

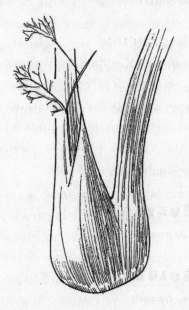

CARACTERÍSTICAS

Posee un aromático sabor que evoca al anís. Por esta cualidad se le utiliza para mejorar el gusto fuerte que dejan ciertas verduras cuando se preparan en jugos. Su principal característica es un aspecto chato y bulboso, con

una corona de hojas verdes plumosas que surgen de los tallos superpuestos. Es una planta perenne, posee un tallo más bien rígido y erecto y flores verdosas.

CONTENIDO

Calcio, potasio, magnesio y fósforo son los minerales predominantes en esta verdura; en menor porcentaje posee hierro, manganeso y zinc. La vitamina C y algunas del complejo B, son las más destacadas en el hinojo.

USOS

El jugo se utiliza para el tratamiento de la artritis, la bronquitis, la gota, problemas de los riñones, desórdenes nerviosos y pérdida de peso. También ayuda en la relajación porque calma los nervios.

PRECAUCIÓN

Conviene no utilizar el hinojo en caso de embarazo o si se utiliza algún método anticonceptivo como pastillas o suplementos de estrógenos. Tampoco es apropiado para quienes poseen una historia de alcoholismo, hepatitis, problemas del hígado o son dependientes de estrógenos.

JOTIMATE

Ver tomate

KIWI

Actinidia sinensis

Otros nombres comunes

Carambola
Uva espina china
Coromandel

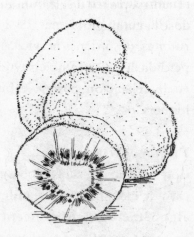

CARACTERÍSTICAS

De forma entre redondeada y cilíndrica, esta fruta cítrica alcanza un tamaño de 7,5 a 10 centímetros de longitud. Posee una piel vellosa de color marrón claro, que contrasta con el espectacular verde brillante de su interior y una corona de pequeñas semillas negras dispuestas en torno al núcleo central blanco. Su sabor es muy delicado, delicioso, intenso y refrescante.

CONTENIDO

Abundante en vitamina C, potasio y magnesio. Vale la pena señalar que un kiwi promedio contiene más de 250 mg de potasio. Dos kiwis aportan 240 por ciento de la vitamina C que el cuerpo necesita cada día para conservar una buena salud.

USOS

Es un buen tónico general y amigo de quienes sufren problemas digestivos. Algunos estudios afirman que contribuye a prevenir ciertos tipos de cáncer, las enfermedades del corazón, los accidentes cerebrovasculares, la hipertensión arterial, el estrés y las infecciones en general. Por su contenido de vitamina C es útil para tratar ciertos estados pregripales. El potasio que contiene hace atractiva esta fruta para personas que padecen presión sanguínea alta. Se le considera un buen diurético que ayuda a eliminar el exceso de sodio en el cuerpo. Por su sabor, es un jugo ideal para combinar con otras frutas.

LECHOSA

Ver papaya

LECHUGA

Lactuca sativa

Otros nombres comunes

Las diversas variedades de lechuga reciben distintos nombres.

CARACTERÍSTICAS

De diversas formas y tamaños, las lechugas se pueden resumir en tres clases, las más comunes en nuestros mercados: de cabeza blanda, cuyas hojas son más bien flojas, no muy apretadas y delicadas; común, de cabeza, batavia o iceberg, posee una consistencia crujiente y tiene el aspecto de un cogollo de repollo o col muy apretado; de cabeza suelta, dispone las hojas de la misma forma que un repollo pero sin el núcleo central. Las hojas suelen ser crespas y en lugar de hacerse más compactas hacia el centro, parten de este, abriéndose hacia afuera.

CONTENIDO

Aunque los porcentajes pueden variar según la forma de cultivo y variedad, son fuentes de minerales y vitaminas. La lechuga de hoja verde oscura es una buena fuente de calcio, hierro, magnesio, potasio, silicio, clorofila y vitaminas A y E. Las lechugas, en general, contienen 95 por ciento de agua y ofrecen ciertas cantidades de vitamina C, betacaroteno, folato, calcio, potasio, yodo y hierro.

USOS

El jugo, en especial de las variedades de color verde oscuro, se utiliza para reconstruir la hemoglobina de la sangre. También contribuye al brillo y salud de la piel y el cabello y estimula su crecimiento. Gracias al silicio que contiene, el jugo de esta verdura apoya la flexibilidad de músculos y articulaciones. La lechuga batavia o iceberg posee cualidades sedantes y ayuda a superar el nerviosismo y relajar los músculos. Tiene fama como promotora del sueño y remedio para aliviar la bronquitis, la constipación, la pérdida del cabello, los desórdenes del hígado y la pérdida de peso. El jugo también puede sustituir los antiácidos elaborados industrialmente y aliviar la indigestión y la acidez.

PRECAUCIÓN

Conviene diluir el jugo de esta verdura porque resulta muy fuerte.

LIMÓN

Citrus limonum L.

Otros nombres comunes

El limón real, rugoso, común o de Castilla, mandarino, rayado, Tahití, eureka y dulce, son los tipos más comunes.

CARACTERÍSTICAS

Es quizás la más versátil de las frutas. El limón tiene una forma muy característica que puede variar un poco, así como su tamaño, grosor, tersura de piel y sabor, según la variedad. La corteza es muy valiosa porque posee aceites esenciales aromáticos que, en ocasiones, son utilizados para perfumar el ambiente. La pulpa, de color verde o amarillo claro, jugosa y ácida, despierta y refresca las papilas gustativas. Crece en climas más bien cálidos hasta los 1.700 metros sobre el nivel del mar.

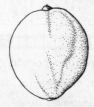

CONTENIDO

Calcio, fósforo, hierro, tiamina, riboflavina, niacina, ácido ascórbico, vitamina C y potasio, son sus principales nutrimentos. Contiene, además, flavonoides (pigmentos amarillos) con propiedades antiinflamatorias, inhibidoras de enzimas y algunos antioxidantes.

USOS

Esta poderosa fruta resulta un fuerte limpiador del intestino grueso y del estómago cuando se bebe después de tomar los alimentos. Es antiséptica y bactericida, al tiempo que trabaja para reforzar las defensas naturales del organismo. Por su acción sobre la sangre se le considera un tónico del corazón y de los vasos sanguíneos; también ayuda a controlar la hipertensión y bajar los niveles de colesterol. Gracias a sus propiedades antioxidantes se le utiliza en la prevención del cáncer. Se utiliza diluido con agua como astringente sobre la piel y se aplica sobre el rostro limpio. El limón, como otros cítricos, se usa para la fatiga, la prevención y el tratamiento de enfermedades infecciosas, la fragilidad capilar, las várices, la piorrea, los resfriados y gripas, el dolor de garganta, la gota, el reumatismo, la acidez gástrica y la obesidad, entre otras.

PRECAUCIÓN

Quienes padezcan de enfermedades artríticas deben consultar su caso con el médico antes de utilizar el limón en terapias de jugos. Conviene mezclar el zumo de limón con agua y beberlo con moderación.

MACHAVICK

Ver papaya

MAMONA

Ver papaya

MANDARINA

Citrus reticulata

Otros nombres comunes
Mandarino

CARACTERÍSTICAS

Algunos autores la citan como "naranja fácil de pelar", por su aspecto de naranja ligeramente chata. Resulta en verdad parecida, especialmente por el color de su piel, pero su aroma y sus gajos más sueltos la hacen diferente. La piel de esta fruta es muy aromática y su pulpa generalmente dulce y jugosa.

CONTENIDO

Sus principales nutrientes son la vitamina C, los betacarotenos, el potasio y el folacin. Contiene, además, unos pigmentos antioxidantes llamados flavonoides. La mandarina es más acuosa que la naranja y su contenido de azúcares es inferior.

USOS

Al igual que otros cítricos, tiene la capacidad de aumentar las defensas del organismo frente a las infecciones, y la cualidad de reparar las heridas. La recomiendan en la prevención de enfermedades del corazón, en ciertos tipos de cáncer, en accidentes cerebrovasculares, hipertensión arterial e infecciones en general. Los flavonoides de la mandarina y otros cítricos fortalecen los vasos capilares. Esta fruta sedante ayuda frente al dolor de cabeza y suelen mencionarla los médicos para ayudar al buen funcionamiento del colon.

MANGO

Mangifera indica **L.**

Otros nombres comunes

Manga
La familia del mango se ha clasificado en 64 géneros que, según la región, reciben distintos nombres.

CARACTERÍSTICAS

Aunque existen mangos de diversas formas, tamaños y colores, tienen por lo general una forma oblonga, con la piel de color rojo o dorado rosáceo y una pulpa muy perfumada de color amarillo o anaranjado que rodea un hueso muy grande, plano y velloso. Es una pulpa blanda, dulce y jugosa, aunque a veces y, según el grado de maduración, puede tener un gusto ligeramente ácido.

CONTENIDO

Es abundante en betacaroteno, vitaminas A y C y pequeñas cantidades del grupo B. Los minerales que se destacan en esta fruta son el calcio, el magnesio, el fósforo, el potasio y el sodio; también posee pequeñas cantidades de cobre, hierro, manganeso y zinc.

USOS

Por su riqueza en vitamina C, se le considera un apoyo para la absorción del hierro, para aumentar

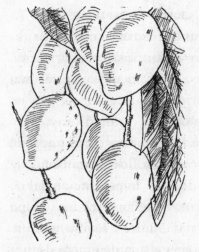

y se utiliza en una mezcla de 50 por ciento de jugo de la fruta y 50 por ciento de agua pura o hervida.

PRECAUCIÓN

Es importante vigilar si los niños pequeños muestran alguna reacción negativa a la fruta, antes de incluirla en su dieta.

las defensas, favorecer la curación de heridas y mantener saludables las encías. Según algunas investigaciones, parece que ayuda a prevenir las infecciones, ciertos tipos de cáncer, enfermedades del corazón y la hipertensión arterial. Muchos médicos recomiendan incluir en la dieta esta fruta como una forma de contribuir al buen funcionamiento del colon. Es, además, laxante suave y natural. El mango también se aconseja por los pediatras como una fruta apta para el consumo infantil. Por lo general, se empieza a suministrar a partir de los cuatro meses

MANZANA
Malus communis

Otros nombres comunes
Es la denominación universal.

CARACTERÍSTICAS

Existen más de 7.000 variedades de manzanas con denominación de origen y, por tanto, las aquí nombradas son sólo una porción diminuta: la Golden, de gran tamaño, forma cónica, verde inicialmente y amarilla al madurar; Belleza de Roma, grande, alargada, de piel gruesa, roja y brillante; Granny Smith, mediana o grande, cónica y de color verde con manchitas blancas; Delicia roja, grande, alargada, de piel gruesa y color rojo brillante; Worcester Pearmain, de tamaño mediano, cónica, firme, de dos tonos: verde y rojo, y finalmente la Macintosh, de tamaño entre pequeño y mediano, forma redonda, firme y de tonos verde y rojo.

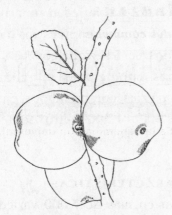

CONTENIDO

Los principales nutrientes que contiene son la fibra soluble (pectina), el cromo y el sorbitol (laxante natural). En ella también están presentes agentes como el polyphenol (antibacteriano) y el glutathione (antioxidante). Todas las manzanas contienen glucosa y fructosa para dar energía y son una buena fuente de fibra.

USOS

Se la considera como una fruta limpiadora del organismo. Se utiliza en la prevención del estreñimiento y, al mismo tiempo, de la diarrea. También es una buena aliada de quienes sufren diabetes pero no son dependientes de la insulina. En general, se han encontrado las siguientes propiedades terapéuticas: excelente para el corazón y vasos sanguíneos, reduce el colesterol de la sangre y la presión arterial, estabiliza el azúcar, abunda en sustancias anticancerosas, elimina virus infecciosos, desinfecta la boca. Su capacidad y beneficios sobre la digestión y la eliminación de sustancias de desecho del organismo, la hacen útil para tratar problemas en las articulaciones. El contenido mineral del jugo de la manzana es beneficioso para el cabello y las uñas. Se recomienda en casos de artritis, depresión, estrés, fatiga, embarazo y para quienes sufren de insomnio. Es una fruta para niños de todas las edades. Por lo general, a partir de los cuatro meses se empieza a variar la comida del bebé y se comienza a preparar la manzana en compotas. Esta misma compota (o el jugo) se utiliza en los casos de "soltura" de estómago.

PRECAUCIÓN

Siga las instrucciones del pediatra en cuanto a la edad de los niños que pueden utilizar la manzana en jugo o compota. Aunque suele ser muy aceptada por los pequeños, es necesario vigilar la tolerancia a la fruta.

MARACUYÁ
Passiflora edulis

Otros nombres comunes
Parchita
Murukuyá
Murukoyá
Fruta de la pasión

CARACTERÍSTICAS

Es una planta trepadora que llega a medir hasta quince metros de largo. La fruta se conoce como baya y se encuentra en diversos colores: verde, amarillo, marrón, morado. La variedad amarilla, más frecuente en nuestros mercados, se desarrolla con las mejores condiciones en climas tropicales comprendidos entre los 400 y 1.200 metros sobre el

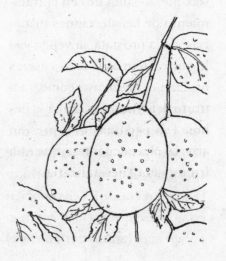

nivel del mar. El interior del maracuyá es una masa traslúcida de color naranja que contiene semillas duras de color gris.

CONTENIDO

Las vitaminas A y C son las más abundantes en esta fruta. Calcio, fósforo, hierro, sodio, potasio y magnesio constituyen los minerales más importantes que contiene el maracuyá.

USOS

El jugo del maracuyá combate el ácido úrico, ejerce una acción laxante suave, ayuda al funcionamiento del intestino y es sedante. Resulta útil en el tratamiento de las afecciones urinarias, de la próstata, la vejiga y el hígado. Algunas recetas caseras utilizan el maracuyá como sustituto del limón para bajar la fiebre. Las personas con presión arterial alta encuentran que esta fruta ayuda a neutralizarla.

MASTUERZO

Ver berro

MELÓN

Cucumis melo L.

Otros nombres comunes

Cantalupo

CARACTERÍSTICAS

Los melones de sabor dulce pertenecen a una gran familia de frutas y verduras que crecen en los tallos de plantas trepadoras y entre las que están los calabacines, auyamas o calabazas y pepinos. Aunque existen diversas variedades, las de mayor comercio se dividen en reticulados (Golden Delight, Gold Cup y

Hale's Best) y cantalupos (Verde Trepador, Cantalupo Charentais y Cantalupo de Bellegarde). Una características destacada es su corteza dura y su pulpa jugosa.

CONTENIDO

Sus principales nutrientes son la vitamina C, el betacaroteno, el potasio y magnesio. Contiene, además, carotenoides —pigmentos amarillos y rojos que actúan como antioxidantes—, adenosina —que previene la coagulación de la sangre— y glutathione —antioxidante y anticancerígeno.

USOS

Se considera como una fruta que previene infecciones, ciertos tipos de cáncer, enfermedades del corazón y la apoplejía. Gracias a sus propiedades diuréticas y calmantes, posee un efecto suave sobre el organismo y alivia determinadas molestias estomacales. Estimula el apetito, aumenta la producción de orina y parece que rejuvenece los tejidos.

Es útil para tratar las afecciones de la piel y los trastornos nerviosos. Los pediatras recomiendan el jugo de esta fruta a partir de los cuatro meses. Hipertensión, enfermedades reumáticas, gota, artritis, hemorroides, son padecimientos tratados popularmente con esta fruta.

PRECAUCIÓN

Es aconsejable, antes de incluirla de manera definitiva en su dieta, comprobar que al bebé le guste y que no desarrolle ningún rechazo a la fruta.

MELÓN DE AGUA

Ver sandía

MELÓN PAPAYA

Ver papaya

MELÓN ZAPOTE

Ver papaya

MOCOS DE CARBONERO

Ver granadilla

MORA

Rubus glaucus

Mora de Castilla

Morón

CARACTERÍSTICAS

Es un bejuco espinoso que puede ser utilizado como una buena barrera en cercas y, además, ayuda a controlar la erosión. Crece en alturas comprendidas entre los 1.800 y los 2.400 metros sobre el nivel del mar. La fruta madura, de color morado oscuro, brillante y atractivo, tiene un sabor dulce. Por el contrario, es agridulce si aún no ha completado su crecimiento. Posee forma cónica, de tres a cuatro centímetros de largo y diámetro de uno y medio a dos centímetros.

CONTENIDO

Sus principales aportes son el betacaroteno, las vitaminas C y E, pequeñas cantidades de biotina y vitaminas del grupo B. En cuanto a los minerales, el calcio, el cloro, el magnesio, el fósforo, el potasio, el azufre y el sodio ocupan el primer lugar, mientras que el cobre y el hierro se encuentran en menor cantidad.

USOS

Se utiliza especialmente para prevenir algunas infecciones de la vejiga, en la recuperación de ciertas enfermedades del corazón y en los accidentes cerebrovasculares. Contiene anthocyanins (un pigmento azulado rojizo) y un factor aún no identificado que previene que las bacterias se adhieran a las paredes de la vejiga. Es astringente y contribuye a aliviar la diarrea. Gracias al hierro resulta una fruta atractiva para combatir la anemia. Es, además, depurativa, diurética y laxante suave y su jugo se usa popularmente para bajar la fiebre y fortalecer las uñas.

MORÓN

Ver mora de Castilla

MUROKOYÁ

Ver maracuyá

MURUKUYÁ

Ver maracuyá

NARANJA

Citrus

Otros nombres comunes

Las naranjas se dividen en dos grandes grupos: dulces y amargas.

CARACTERÍSTICAS

Aunque existen muchas variedades, podemos destacar la naranja agria (*Citrus aurantium*), y la naranja dulce (*Citrus sinensis*) que incluye variedades como las ombligonas, la García Valencia, la Valencia, la Lerma. Se han cruzado diversas especies para formar híbridos, como el tangelo (tangerina con toronja).

CONTENIDO

Es rica en vitamina C, potasio y folacin. Contiene flavonoides —pigmentos amarillos que tienen propiedades antiinflamatorias inhibidoras de enzimas y antioxidantes—, especialmente en la cáscara y membrana blanca.

Usos

La naranja es un buen tónico del corazón y los vasos sanguíneos porque reduce la viscosidad de la sangre y la presión arterial alta. Contribuye a prevenir infecciones, ciertos tipos de cáncer y accidentes cerebrovasculares. Algunos médicos la recomiendan para reducir el nivel de colesterol en la sangre. Promueve la buena digestión, estimula el sistema nervioso en general, previene el escorbuto, ayuda en la bursitis, reconstruye la piel y los tejidos lesionados, reduce la fiebre y sana las heridas. Por lo regular, es útil para tratar los resfriados, la pérdida de peso, la anemia, el reumatismo, la gota, la neumonía, la piorrea, la indigestión.

Oliva

Ver aceituna

Panal

Ver apio

Papaya

Carica papaya L.

Otros nombres comunes

Lechosa

Fruta bomba

Mamona

Melón zapote

Melón papaya

Chamburo

Machavick

Mapaña

Higuera de las Indias

Características

Es una fruta por lo general grande, con forma de pera, que alcanza los 20 centímetros de longitud. Algunas variedades permanecen verdes cuando maduran, pero la mayoría se vuelve de color amarillo o naranja. La cáscara encierra una pulpa de color rosa o salmón y las semillas de color negro grisáceo. La textura de la pulpa es blanda y su sabor jugoso, dulce y delicioso.

CONTENIDO

Los nutrientes más valiosos de la papaya son la vitamina A y el calcio. Sin embargo, se destacan grandes cantidades de una enzima llamada papaína, que descompone las proteínas y facilita la digestión de esta fruta.

USOS

Las enzimas de esta fruta nutritiva, digestiva y diurética, ayudan a disolver los alimentos. Es útil para tratar la acidosis, las úlceras, el acné, el sobrepeso, el estreñimiento, las infecciones de hígado y renales. La papaya ayuda al organismo a coagular la sangre y a reponer la energía perdida, gracias a su azúcar natural. Algunos investigadores la recomiendan para prevenir enfermedades del corazón, ciertos tipos de cáncer, accidentes cerebrovasculares, hipertensión arterial y, en general, las infecciones. A los bebés, la papaya les reporta muchos beneficios. Por esta razón los pediatras la recomiendan, en jugo, como uno de los primeros alimentos después de la leche materna.

PRECAUCIÓN

Se debe observar si la fruta le gusta al bebé y si no le produce ninguna alteración al organismo.

PARCHA AMARILLA
Ver granadilla

PARCHITA
Ver maracuyá

PATILLA
Ver sandía

PEPINO
Ver pepino cohombro

PEPINO COHOMBRO

Cucumis sativus

Otros nombres comunes

Pepino
Cohombro
Concombro

CARACTERÍSTICAS

En este libro trataremos el llamado pepino que usualmente se utiliza en ensaladas, de tamaño regular y forma rectilínea. La planta es de tallo rastrero o trepador, cubierto de "pelos" frágiles. El cohombro maduro es tierno al tacto y da la impresión de estar a punto de estallar. Por lo general, esta verdura se encera para conservarla, lo que hace necesario desechar su cáscara si se va a usar medicinalmente. Sin embargo, en caso de conseguirla en estado "natural", es conveniente aprovechar la piel.

CONTENIDO

El pepino sin piel es fuente de calcio, fósforo, hierro, sodio, potasio, magnesio, vitamina A, vitamina C y algunas del complejo B. Aunque en menor cantidad, también contiene boro y cloro.

USOS

Este fruto es una buena fuente de agua, lo cual facilita la preparación de jugos. Como diurético de origen natural, ayuda a disolver los dolorosos cálculos de los riñones. Gracias a su contenido de potasio promueve la flexibilidad de los músculos y brinda elasticidad a la piel. Por esa razón se utiliza como aliado de la belleza pues otorga un aspecto rejuvenecido a la piel del rostro. Esta verdura también ayuda a la salud del cabello y las uñas. Lamentablemente, su contenido de vitamina A casi siempre se desperdicia porque se concentra en la piel, que suele ser encerada por los productores y comercializadores. El jugo de pepino cohombro es considerado un buen desintoxicante del organismo.

PRECAUCIÓN

Sólo utilice la piel del pepino si no ha sido encerada.

PERA

Pyrus communis

Otros nombres comunes

Denominación universal.

CARACTERÍSTICAS

Existen casi tantas variedades de peras como de manzana. Sin embargo, las podemos agrupar en tres, según sus formas: la de pera ordinaria, la de cuello largo y figura oval, y la que es casi redonda. Las peras están relacionadas con las manzanas, pero son más frágiles. Sus colores, menos vivos que los de las manzanas, por lo general van del dorado al rojo, pasando por el verde y el amarillo. Poseen una pulpa blanca, granulada y un corazón donde guarda las semillas.

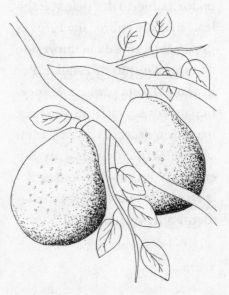

CONTENIDO

Su principal nutrimento es el potasio. Contiene phytosterols —estrógeno de las plantas— y glutathione —antioxidante y anticancerígeno—. Aporta, además, vitaminas A y C, complejo B, fósforo, potasio, calcio, cloro, hierro, magnesio, sodio y azufre.

USOS

Se utiliza a menudo en personas con sobrepeso o con hipertensión. Resulta apropiada para combatir la retención de agua porque tiene un bajo valor calórico y es diurética. Laxante y depurativa, conviene a las mujeres en etapa menopáusica. Ayuda en los desórdenes de la vejiga, el hígado, la próstata y la constipación. En jugo o compota es del gusto de los bebés. Se les empieza a dar, por lo general, a partir de los cuatro meses.

PRECAUCIÓN

Vigile la tolerancia del bebé a la fruta, pues en algunos casos puede producir estreñimiento.

El jugo y la compota también son útiles para tratar la diarrea leve en los niños.

PIMENTÓN

Ver pimiento

PIMIENTO

Capsicum annuum (dulce)

Otros nombres comunes

Existe una amplia variedad (como pimiento morrón, pimentón, chile, chili, chilpete); en este libro sólo trataremos los pimientos dulces verdes y rojos, o morrones.

CARACTERÍSTICAS

El crecimiento apropiado del fruto de los pimientos o pimentones exige mucha luz y calor. Esta planta alcanza entre 30 y 100 centímetros y sus frutos varían de forma, color y tamaño. Sus brillantes colores van del verde y rojo al morado, pasando por los amarillos, naranja e, incluso, blanco.

CONTENIDO

El pimiento o pimentón es muy rico en vitamina C, y constituye una importante fuente de vitamina A (especialmente el rojo), carotenos, ácido fólico y potasio.

USOS

Los jugos que se obtienen del pimiento rojo y verde (los más comunes en el mercado) son benéficos para la salud de la piel, el cabello y las uñas. Sin embargo, el rojo resulta especialmente atractivo porque estimula la circulación y tonifica las arterias y el corazón. Se califica a los pimientos como estimulantes, tónicos, carminativos, relajantes de espasmos musculares, antisépticos y analgésicos. Se usan para la artritis, problemas oculares, pérdida de cabello, enfermedades asociadas con el corazón, presión arterial alta y algunas enfermedades de la piel.

PRECAUCIÓN

Si sólo consigue pimientos encerados, lávelos muy bien, con agua y jabón, antes de usarlos para elaborar jugos.

PIÑA
Ananas comosus

Otros nombres comunes
Ananá
Ananassa
Abacaxi
Yayama

CARACTERÍSTICAS

La piña, en realidad, constituye un agregado de cien o más frutillas ligadas entre sí, cada una de las cuales es el fruto de una flor individual y juntas forman una piña. Posee la cualidad de tomar el agua que hay en la atmósfera y, por tanto, tiene gran capacidad para resistir las sequías. Existen cientos de variedades en América, desde las más grandes hasta las piñas miniatura.

CONTENIDO

Rica en betacaroteno, ácido fólico y vitamina C; posee también pequeñas cantidades de vitaminas del complejo B. Los minerales más destacados son el calcio, el magnesio, el fósforo, el potasio, el sodio y, en menor porcentaje, cobre, hierro y zinc.

USOS

Contiene phytosterols y bromelain, enzima esta que podría reducir la inflamación, promover la digestión de las proteínas, mitigar el dolor de la angina y disminuir la hipertensión arterial. También se recomienda la piña para prevenir los accidentes cerebrovasculares y los síntomas de la menopausia. Su inclusión en la dieta contribuye al buen funcionamiento del colon y a depurar el organismo. Constituye un laxante suave y natural. Aunque es una fruta ácida, ayuda a combatir la acidez estomacal. Resulta útil para tratar los resfriados, la gota, la ciática, la piorrea y el sobrepeso. Popularmente se usa para bajar la fiebre y como tónico para personas débiles o en estado de convalecencia.

PIPIÁN
Ver calabaza

PLÁTANO
Ver banano

PUERRO

Allium porrum

CARACTERÍSTICAS

Existen diferencias por la forma en que se cultiva esta verdura, en características como la longitud, la consistencia del tallo y la intensidad de su sabor. La planta se desarrolla a partir del engrosamiento en forma de cebolla (capa sobre capa) de una roseta de hojas. La base del tallo y la vaina foliar forman el tallo blanco y verde claro, con hojas verdes también, que se destacan por ser anchas en la parte superior.

CONTENIDO

En cuanto a las vitaminas, el puerro es rico en betacarotenos, biotina, vitamina C y, en pequeñas cantidades, vitaminas del complejo B y E. Los minerales más abundantes en esta planta son el calcio, el cloro, el magnesio, el fósforo, el potasio y el sodio; en pequeños porcentajes, el cobre, el hierro y el zinc.

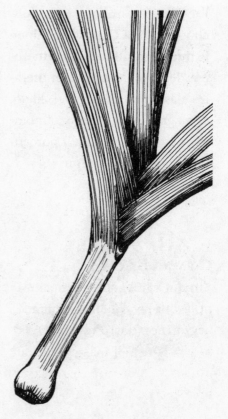

USOS

Este tónico, apropiado para calmar estados de ansiedad y nerviosismo, promueve el flujo de la orina, es laxante y un buen antiséptico interno. El jugo resulta efectivo como antigripal, como tónico nervioso y para controlar el estreñimiento.

RABANITO

Ver rábano

RÁBANO

Raphanus sativus var. sativus

Otros nombre comunes

Rábano carámbano

Rabanito

Rábano del golfo

CARACTERÍSTICAS

Aunque el rábano presenta múltiples formas y colores (blanco, negro, morado, rosado, rojo claro y oscuro), el más común en nuestros mercados es el que luce en la cáscara un hermoso color rojo. En cuanto a la forma, los hay desde pequeños y esféricos hasta alargados. También existen de sabores suaves y picantes.

CONTENIDO

Ácido fólico, vitamina C y pequeñas cantidades de vitaminas del complejo B. Los minerales que se destacan en esta verdura son el calcio, el cloro, el hierro, el magnesio, el fósforo, el potasio, el sodio y el azufre. Aunque en menor cantidad, también están presentes el cobre y el zinc.

USOS

En general es beneficioso para el hígado y especialmente para la vesícula biliar. El jugo utilizado en forma espaciada y moderada ayuda a limpiar el organismo y particularmente las membranas mucosas. Ayuda también a aliviar el asma, los eczemas, los problemas digestivos y de la piel, los catarros, el dolor de los senos nasales y la pérdida de peso.

PRECAUCIÓN

Es recomendable mezclar el jugo con otros más suaves.

REMOLACHA

Beta vulgaris

Otros nombres comunes

Beterrave

Betavel

CARACTERÍSTICAS

De forma globosa y esférica, a veces esta raíz adopta apariencias planas y alargadas, de cuyo cuello brotan unas hojas de porte erguido, color rojizo y forma ancha. Sin embargo, las remolachas no siempre son rojas, pues las hay también doradas y blancas. Estas últimas se cultivan sobre todo por sus hojas y tallos y se usan en ensaladas. Se le clasifica como planta bianual y se cultiva en lugares templados.

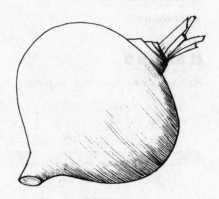

CONTENIDO

Rica en ácido fólico y vitamina C, posee cantidades menos importantes de algunas vitaminas del complejo B. Tiene, también, calcio, magnesio, fósforo, potasio, sodio y algo de cobre, hierro y zinc. Contiene abundante clorofila.

Usos

El jugo de remolacha es muy poderoso, por lo cual conviene mezclarlo con cuatro partes de otros zumos de verduras. Tiene fama como limpiador, constructor de la sangre, purificador y tónico del organismo en general. La remolacha limpia, además, los riñones, pero debe ser utilizada moderadamente. Conviene prepararla diluida o mezclada con otros jugos de verduras, como los de zanahoria o pepino cohombro.

Precaución

Lamentablemente, la remolacha roja es la verdura con mayor índice de nitratos, pues suele ser objeto de abonos intensivos. Hasta cierto punto esta circunstancia podría llegar a ser secundaria en casos de consumo poco frecuente. La remolacha orgánica es segura.

REPOLLO

Brassica oleracea var. capitata

Otros nombres comunes

Col

Características

Es una planta anual o bianual que alcanza hasta dos metros y medio de altura. Posee un tallo grueso, hojas grisáceas y flores amarillas de cuatro pétalos. Existen diversas variedades que difieren especialmente en tamaño y color. El repollo está formado por hojas lisas, brillantes y recubiertas por una capa de cera.

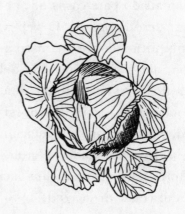

CONTENIDO

Ácido fólico, vitamina C y pequeñas cantidades de vitaminas del complejo B, biotina y vitamina E. Sus minerales más destacados son el calcio, el cloro, el magnesio, el fósforo, el potasio y el sodio; en pequeñas cantidades, el cobre, el hierro y el zinc.

USOS

Gracias a su contenido de vitamina C y del complejo B, y de minerales como el cloro y el potasio, entre otros, se le considera un excelente limpiador del organismo. Su jugo también se cataloga como laxante, amigo de la piel y sanador de las úlceras intestinales. Resulta un buen aliado para casos de anemia, desórdenes de la vejiga, bronquitis, colitis, constipación, nerviosismo, pérdida del cabello, presión arterial alta, problemas de los riñones, obesidad, piorrea y para la regulación de la glándula tiroides. Algunos autores señalan que incluir esta verdura en la dieta ayuda a proteger el organismo de la excesiva radiación a la que estamos expuestos por computadoras, hornos microondas, televisores, líneas eléctricas de alta tensión, etc. Popularmente se usa para aliviar el guayabo o resaca.

PRECAUCIÓN

Vigile su reacción a esta planta porque suele producir gases y calambres. Si presenta estos síntomas después de beber el jugo, reduzca la cantidad y úselo diluido.

SANDÍA

Citrullus vulgaris

Otros nombres comunes
Patilla
Melón de agua

CARACTERÍSTICAS

Las sandías, frutas enormes de forma ovalada o redonda, pueden llegar a pesar hasta doce kilos.

Son producidas por unas plantas herbáceas anuales, de tamaño más bien pequeño (entre dos y tres metros), que se arrastran sobre la tierra. Su pulpa es de un hermoso color rosado intenso, jugosa, dulce y fresca al paladar. La cáscara, aunque dura, se parte fácilmente en tajadas. En el comercio se encuentran básicamente tres tipos: pequeñas (3 a 5 kg) como la Sugar baby; grandes (entre 10 y 12 kilos) como la miyaco, y ovoidales, como la Charleston gray, la más corriente en los mercados andinos.

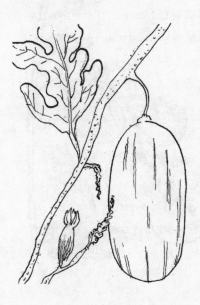

CONTENIDO

El jugo de esta fruta es rico en vitamina A y potasio. Contiene en menor cantidad otras vitaminas, minerales y clorofila. Si utiliza la cáscara para elaborar el jugo, se incrementa la cantidad de clorofila que se obtiene de esta fruta.

USOS

El jugo de la sandía es un buen limpiador de los riñones y la vejiga y ayuda a eliminar el ácido úrico sobrante. Posee una acción diurética que ayuda a eliminar el exceso de líquidos del organismo. Gracias a sus enzimas, estimula el apetito y contribuye a superar enfermedades como la anorexia. Contiene sustancias que pueden producir efectos positivos en enfermedades como la artritis, el estreñimiento, las afecciones renales, de la piel, de la vejiga y de la próstata, además de la retención de líquidos. Es amable con las mujeres en embarazo y popularmente se usa para aumentar la cantidad de leche materna. El jugo se puede beber después de las comidas o antes de irse a la cama.

TOMATE

Lycopersicum esculentum

Otros nombres comunes

Jotimate
Hay variedades de color rojo,
amarillo, rosado, naranja
o violeta; de forma redonda
o alargada, que varían
de tamaño.

CARACTERÍSTICAS

Esta hierba de fuerte olor alcanza hasta un metro de altura y su fruto es esa maravillosa esfera con cualidades culinarias universalmente reconocidas. El sabor de las diversas variedades depende fundamentalmente de la relación entre los azúcares y los ácidos. La maduración eleva el contenido de azúcar y reduce el nivel de ácidos.

CONTENIDO

Es predominantemente alcalino, debido a su contenido mineral. Aporta betacarotenos, biotina, ácido fólico, vitamina C y pequeñas cantidades de vitaminas del grupo B. En cuanto a los minerales, se destacan el cloro, el calcio, el magnesio, el fósforo, el potasio, el azufre, y pequeños porcentajes de cobre, hierro y zinc. Por último, hay que destacar su contenido en aminoácidos vegetales.

USOS

Numerosos estudios señalan que al parecer el tomate previene ciertos tipos de cáncer por sus cualidades antioxidantes. De igual forma, se le señala como protector del sistema cardiovascular. El jugo de tomate (orgánico) fresco es una bebida saludable para los niños y apoya el tratamiento contra la debilidad. Es también vigorizante general, estimula el apetito y reacciona favorablemente en desórdenes de vejiga, riñones e hígado; en casos de gota, problemas de piel y pérdida de peso.

PRECAUCIÓN

Conviene usar tomates orgánicos para la preparación de jugos, debido a que esta verdura suele tratarse con agentes químicos. Si desconoce la forma de cultivo de los tomates que adquiere y desea elaborar jugos, conviene retirarles la piel.

UVA ESPINA CHINA

Ver kiwi

YAYAMA

Ver piña

ZANAHORIA

Daucus carota

Otros nombres comunes

Existen variedades llamadas "de manojos" y variedades sin hojas.

CARACTERÍSTICAS

Las zanahorias pueden ser pequeñas, o bien grandes y robustas. Crecen en todo el mundo y, así como difieren en su forma, pueden variar de color: amarillo claro o fuerte, rojo o blanco.

CONTENIDO

Es una fuente excelente de betacaroteno (que el organismo transforma en vitamina A). Rica también en ácido fólico y vitamina C y, aunque en menor cantidad, de las vitaminas del grupo B. Los minerales más abundantes son el calcio, el cloro, el fósforo, el magnesio, el potasio, el sodio orgánico y el azufre; en pequeñas cantidades, el hierro, el cobre y el zinc.

USOS

Poderoso antioxidante con múltiples propiedades para combatir ciertos tipos de cáncer, proteger las arterias, fortalecer el sistema inmunológico y alejar las infecciones. Es un tónico general, aliado de la piel, el cabello, las uñas y las membranas mucosas. También protege la piel contra las radiaciones ultravioleta, el deterioro, las arrugas y ayuda a refrescarla y recuperarla cuando hay quemaduras por fuego o por líquidos. El jugo ejerce una acción calmante y tonificante de las paredes intestinales y fortalece huesos y dientes. Además, estimula la digestión y es un diurético suave. Sin embargo, se dice que la contribución más importante a la salud es su efecto limpiador y tónico del hígado. Esta bebida ayuda a liberar la bilis vieja y el exceso de grasa. Se recomienda en casos de úlceras, acné, artritis, asma, cataratas, insomnio, diabetes, problemas oculares, embarazo y parto, entre otros. Por último, es un jugo excelente para combinar con otros vegetales y frutas.

PRECAUCIÓN

El consumo excesivo de este jugo puede tornar la piel amarilla o naranja, temporalmente.

ZAPALLITO
Ver calabacín

ZAPALLO
Ver calabaza

ZUCCHINI
Ver calabacín

Jugos fáciles
para dolencias comunes

Ideas y tratamientos sencillos y útiles

JUGOS FÁCILES PARA DOLENCIAS COMUNES
Ideas y tratamientos sencillos y útiles

Las siguientes páginas están dedicadas a la preparación de jugos fáciles de hacer y útiles para una amplia gama de padecimientos comunes. En su elaboración se utilizan frutas y verduras corrientes, de las que se encuentran en tiendas, mercados y supermercados. Muchas de ellas son adecuadas para los mismos padecimientos, de manera que usted puede optar por la que sea de su preferencia o con la que tenga mejores resultados. Recuerde que las bebidas aquí sugeridas se preparan con agua y no incluyen ingredientes como leche o edulcorantes como azúcar, miel, panela, etc., salvo que se indique. De igual forma, tenga presente que en el caso de las mezclas, es recomendable hacer cada jugo por separado y sólo al final combinar en un recipiente (por ejemplo, una jarra) de materiales seguros como el vidrio, y que deben ser revueltos con cucharas y utensilios no metálicos.

Si esta es la primera vez que ensaya una terapia con jugos, conviene que lea las páginas precedentes, donde encontrará muchas respuestas a interrogantes sobre productos, métodos, dietética, etc. De igual forma, conviene que empiece con jugos que no incluyan mezclas. En general, es una buena idea no combinar los jugos de frutas con los de verduras; sin embargo, las frutas se pueden mezclar entre sí al igual que las verduras.

También es importante tener presente que las ideas y tratamientos incluidos en este libro son un buen complemento a una dieta equilibrada y variada y de ninguna manera sustituyen las recomendaciones médicas. Cada organismo es diferente y, por tanto, también conviene vigilar la tolerancia a las frutas y verduras, así como a las mezclas que aquí se sugieren.

ACEITUNA

▪ *Tónico antiarrugas.* Si logra conseguir aceitunas verdes y frescas, quíteles el hueso o carozo y extráigales el jugo con un procesador o extractor de jugos. Si el jugo se espesa demasiado, puede añadir un poco de agua. Conviene almacenar este tónico en un frasco de vidrio con cierre hermético, en la nevera. Este sería el tónico ideal, pero las aceitunas nos llegan en conserva. Para hacer el jugo con ellas, es importante remojarlas y lavarlas varias veces para retirar la sal. Después se sigue el procedimiento anterior. El jugo de aceituna se aplica en la piel cada mañana, con movimientos circulares. También se puede beber a razón de 1/2 taza, siempre que no exista hipertensión.

AJO

▪ *Limonada de ajo para niños mayores.* Esta receta que tiene virtudes antivirales y antibacterianas, ayuda a ablandar la tos que aparece durante los resfriados e infecciones respiratorias. Pele entre cuatro y seis dientes de ajo y viértales encima un litro (cuatro tazas) de agua hirviendo. Tape y deje reposar esta agua por unos 30 minutos. Después cuele la preparación, añada limón y miel para endulzar y ofrézcala al niño caliente y con frecuencia.

▪ *Condimento para otros jugos.* Se puede combinar el ajo, a manera de condimento, con otros jugos de verduras para aprovechar todos sus poderes. Brindará un toque de sabor y aroma. Para ello, añada el jugo obtenido de prensar uno o dos dientes de ajo, a un vaso de jugo de otro vegetal. También puede pelar y cortar los dientes y licuarlos junto con otras verduras de su preferencia.

APIO

• *Calmante de sistema nervioso y apoyo para bajar de peso.* Los efectos calmantes de esta verdura se deben, probablemente, a la alta concentración de minerales alcalinos de origen orgánico, especialmente de sodio. El jugo es muy efectivo por su acción calmante para aliviar ciertas condiciones nerviosas. De igual forma, se utiliza en muchos programas de adelgazamiento pues inhibe el deseo por lo dulce. Para preparar el jugo utilice únicamente los tallos y deseche las hojas. Puede cortarlos en trozos, licuarlos con un poco de agua y poner en un vaso listo para beber.

• *Calambres musculares por pérdida de sodio y magnesio.* Una bebida elaborada con tres tallos de apio y 1/4 de pepino cohombro le pueden ayudar a superar estas incomodidades musculares. Lave muy bien los tallos de apio y con agua y jabón el pepino; córtelos en pedazos y lícuelos por separado. Vierta las dos preparaciones en un vaso de aproximadamente 230 ml de capacidad, y mezcle con una cuchara de material no metálico. Puede tomar este jugo hasta tres veces al día.

BANANO

• *Un baño de energía que ayuda a sintetizar los ácidos grasos y el colesterol.* El banano es una de las pocas frutas que contiene una pequeña cantidad de cromo, mineral que estimula la actividad enzimática en el metabolismo de la glucosa. Hacer un jugo de banano es un tanto difícil, por lo que conviene mezclarlo con otros jugos como el de manzana, guayaba, pera o mango. Ponga el banano (sin cáscara) en la licuadora y mézclelo con una o dos tazas del jugo de su predilección. Obtendrá un jugo cremoso y sabroso.

• *Inflamación intestinal.* Siempre que no se trate de síntomas muy agudos, este jugo resulta maravilloso para aliviar el dolor. Es una bebida cremosa, semidulce y muy sabrosa. Para hacer un vaso de jugo requiere un banano pelado y una taza de jugo de mango. A estos ingredientes añada unos cubos de hielo y póngalos en la licuadora por unos cuantos segundos para que se mezclen y el hielo se triture.

BERRO

▪ *Poderoso purificador.* Sus contenidos minerales hacen atractiva esta verdura como limpiador intestinal y normalizador. El jugo se utiliza, entre otras cosas, para bajar de peso. Como sus efectos y sabor son fuertes y poderosos, se suele combinar con otros jugos a razón de máximo dos cucharadas (una onza) de jugo de berro mezcladas con jugos de verduras más suaves como la zanahoria. Conviene no utilizar este jugo en niños. Para lograr una excelente bebida, se debe seleccionar una planta que luzca hojas de un verde profundo. Luego

se procesa, ojalá en un extractor, para sacar todas sus sustancias del berro.

▪ *Para el insomnio.* Compre un manojo de berros cultivados orgánicamente así como un apio del cual utilizará tres tallos. Si le resulta muy fuerte el sabor de esta preparación, puede añadir un poco de agua. Recuerde que es importante procesar las verduras por separado y, sólo al final, combinarlas en una jarra de vidrio revolviendo con una cuchara que no sea de metal. Tome como máximo tres vasos de jugo al día.

BRÓCOLI

▪ *Ayuda en casos de asma y de rinitis alérgica.* Con esta receta obtendrá un vaso (230 ml) de jugo que conviene beber fresco. Se deben licuar por separado ocho troncos de brócoli y tres tallos medianos de ajo. Se añade un poco de agua para hacer más fácil el trabajo de la licuadora. Luego, con una cuchara se mezclan los dos jugos en un recipiente. Como máximo, deben beberse tres vasos al día. Al comprar esta verdura prefiera aquella que presente la inflorescencia compacta, con flores pequeñas de color verde oscuro.

• *Para aumentar las reservas de vitaminas y defensas del organismo.* Aunque este jugo se puede variar con otras bebidas de verduras, resulta una buena alternativa diaria para tratar estos padecimientos. Un vaso de jugo se obtiene con ocho tallos de brócoli y tres de apio. Una vez limpios se elabora un jugo con cada una de las verduras por separado. Si lo desea, puede añadir agua para facilitar el trabajo de la licuadora. En los procesadores o extractores esta tarea resulta más sencilla. Una vez elaborados los jugos se mezclan en un vaso de vidrio. Esta bebida se puede tomar como máximo tres veces al día.

CALABACÍN

• *Bebida amiga de los huesos.* Este jugo, además de suministrar cantidades interesantes de calcio, constituye una alternativa energética para quienes sienten debilidad y fatiga crónicas. Seleccione un calabacín de carne firme, tierna y brillante, que pese bastante en relación con su tamaño. La cáscara debe permitir que la uña se hunda con facilidad. Lave muy bien la verdura, córtela con cáscara hasta obtener cubos medianos y póngala en la licuadora con media o una taza de agua. El jugo obtenido puede resultar un tanto fuerte al paladar, por lo cual es recomendable mezclarlo con jugo de zanahoria.

CALABAZA

• *Receta de vitamina A del Dr. Heinerman.* Este famoso antropólogo médico tiene en uno de sus libros esta receta que recomienda en casos de alergia, problemas de la piel, de la visión, desequilibrios en el azúcar de la sangre, infecciones, inflamación de las articulaciones, problemas pulmonares, colesterol y triglicéridos altos y trastornos del hígado. Lo ideal es utilizar un tipo de licuadora o procesador que mastique la pulpa (sin cáscara ni semillas) de la calabaza. Como la pulpa cruda es bastante dura, hay que tener paciencia al hacer este jugo si no se dispone de un extractor de jugos. El sabor de esta bebida es un poco extraño, por lo cual se recomienda mezclarlo con jugo de zanahoria.

CEBOLLA

• *Un toque saludable.* Las propiedades curativas de la cebolla son muchas y, por tanto, incluirla en la alimentación contribuye a prevenir diversas enfermedades y a mantenernos saludables. Un jugo concentrado de cebolla, por

lo general, resulta demasiado fuerte aun para los más valientes. Por esa razón es más recomendable incluir pedazos de esta verdura cuando se preparen otros jugos de vegetales (no demasiado fuertes en sabor y efectos) con el fin de darles un gusto diferente y aprovechar todos los nutrientes de la familia de las cebollas. Recuerde que existen muchos tipos de cebollas, todas con grandes propiedades curativas.

CIRUELA PASA

• *Antiácido natural.* Este jugo calma la molesta acidez que producen ciertas comidas y bebidas. Sin embargo, recuerde que si esta circunstancia se repite con frecuencia, es importante identificar la causa y tratarla, por lo cual debe consultar a un médico. Ponga en la licuadora unas cuantas uvas pasas y añada el agua necesaria que permita licuar con facilidad esta fruta, que viene en diversos tamaños.

ESPINACA

■ *Potente limpiador y constructor del organismo.* El jugo de espinaca, buena fuente de clorofila así como de vitaminas y minerales, es medianamente laxante, sobre todo cuando se combinan dos cucharadas (una onza) de este jugo, con otros de verduras (especialmente verdes). Conviene tomarlo sólo una o dos veces a la semana, combinado con otros jugos y en pequeñas cantidades. Seleccione espinaca orgánica, con hojas frescas de color verde profundo. Por libra de espinaca se obtienen unas seis onzas (doce cucharadas). Ponga las hojas muy bien lavadas en la licuadora con un poco de agua y tritúrelas.

■ *Receta para la salud de los ojos.* Con unos 100 gramos de espinacas y aproximadamente ocho zanahorias (340 gramos) se puede preparar un jugo apropiado para apoyar estos importantes órganos. La preparación es muy simple: basta lavar con cuidado la verdura, cortarla en pedazos medianos y ponerla por separado en la licuadora. Por último, se vierten en una jarra de vidrio y se mezclan con una cuchara no metálica.

FRESA

■ *Jugo aliado de la piel.* Este jugo ayuda a eliminar las acumulaciones tóxicas y contribuye a mejorar la piel afectada por el acné, las espinillas, los forúnculos, etc. Lo ideal sería combinar fresas y frambuesas, pero en nuestros países es difícil conseguir el segundo ingrediente. Sin embargo, acudir una o dos veces a la semana a este jugo, contribuye a mejorar la piel áspera y poco saludable.

■ *Mezcla que ayuda a desintoxicar el organismo.* Junto con una dieta apropiada, este jugo resulta un buen apoyo para limpiar y alcalinizar el organismo. Su preparación requiere unos 250 gramos de fresas de buena calidad y una pera. Lave las frutas y elimine las hojas, las semillas y el corazón de la pera. Ponga ambos ingredientes en un procesador y, si lo requiere, un poco de agua. Aunque no es estrictamente necesario, conviene licuar ambas frutas por separado para después juntarlas en el vaso. Puede recurrir a esta bebida tres veces al día.

GRANADILLA

▪ *Jugo amigo de los bebés y de sus madres.* Este delicioso y refrescante jugo es muy suave al estómago y contribuye a que los niños crezcan sanos y fortalezcan su sistema digestivo. Por lo general, los pediatras indican en qué momento se les puede empezar a dar este jugo. Resulta importante vigilar que la fruta sea del gusto de los pequeños y que no produzca ninguna reacción alérgica. Es también una aliada de las futuras madres, porque combate la acidez que se presenta en ciertas etapas del embarazo. Seleccione granadillas enteras, de buen peso y tamaño, con cáscara lisa y brillante. Vierta el contenido de la granadilla en la licuadora con un poco de agua para diluirlo si lo van a tomar los bebés. Haga funcionar su licuadora en velocidad baja, por unos cuantos segundos, para que no se rompan demasiado las semillas. Por último, cuele el jugo.

GUANÁBANA

▪ *Para una buena digestión y para favorecer la flora intestinal.* Algunos expertos aconsejan esta fruta a quienes padecen enfermedades reumáticas y gota. Es también una fruta amiga de los niños y suelen recomendarla los pediatras antes de culminar el primer año. Si va a utilizarla en niños pequeños conviene estar de acuerdo con el médico en cuanto a la edad. De igual forma, recuerde diluir el jugo para el consumo infantil y vigilar el gusto del niño por el sabor y la tolerancia de su organismo. Este jugo es un poco engorroso de elaborar porque se necesita separar las semillas de la pulpa. Cuando lo haya hecho, ponga la pulpa en la licuadora con un poco de agua y procésela. Por último, cuele la preparación.

GUAYABA

▪ *Maravillosa fuente de vitamina C.* Esta es una de las frutas favoritas porque se consigue con facilidad y brinda muchas posibilidades nutricionales y curativas. Cuando detecte señales de estar entrando en un estado gripal, acuda a esta fruta para reforzar las defensas del organismo. Seleccione guayabas maduras y lávelas muy bien. Córtelas en trozos y añada el agua suficiente para obtener una bebida cremosa y espesa. Como es una fruta aliada de los niños, puede darles este jugo a los pequeños cuando el pediatra así lo indi-

que, vigilando siempre la tolerancia del niño a la fruta. En los niños más pequeños se utiliza para tratar la soltura de estómago. Aunque sucede ocasionalmente, a algunas personas esta fruta les produce estreñimiento.
▪ *Receta de la abuela para los dolores artríticos.* Es utilizada por algunas personas mayores para calmar estos incómodos dolores; algunas experiencias afirman que si bien no cura la enfermedad, sí la detiene. Se toman las guabayas maduras y se lavan bien. Se cortan en cuatro pedazos y se ponen en un recipiente. Se les añade agua muy caliente hasta que queden totalmente cubiertas, se tapan y de dejan reposar por media hora. Al colar se retira la fruta y se conserva el líquido. Esta bebida puede tomarse fría o caliente varias veces al día.

HINOJO

▪ *Para tratar problemas de los riñones, pérdida de peso, desórdenes* nerviosos, artritis, bronquitis y gota. Prepare esta bebida como si se tratara de un apio. Puede combinarla con otros jugos de verduras. Por su sabor y olor, que recuerdan al anís, este jugo es ideal para mezclarlo con otros más fuertes o de sabor poco atractivo. Al elaborarlo tenga en cuenta que de una libra (500 g) de hinojo, se obtienen de 3/4 a 1 taza de jugo.

KIWI

▪ *Tónico general, rico en vitaminas y efectivo contra el estrés.* Esta deliciosa fruta tropical puede resultar una buena alternativa para combinar con los diferentes jugos que se programen en la semana. Para preparar dos vasos de jugo, seleccione cuatro frutas maduras, pélelas y póngalas a licuar con un poco de agua.

Resfriados, gripas y dolor de garganta. Aproveche el rico contenido de vitamina C de esta fruta y recupérese rápidamente.

Haga un jugo con la siguiente combinación de frutas: dos kiwis, una manzana mediana y medio mango. Recuerde que las frutas deben estar bien maduras y que conviene hacer los jugos por separado para, en último momento, mezclar. Bébala tan pronto esté elaborada.

LECHUGA

▪ *Receta de la abuela para irse a dormir.* Esta preparación se utiliza desde hace siglos para inducir al sueño. Utilice unas tres o cuatro hojas de lechuga y un tallo de apio, convenientemente lavados. Para elaborar un jugo concentrado, el procesador de alimentos es ideal. Este jugo se debe consumir media hora antes de irse a la cama.

▪ *Jugo para la vitalidad.* Este jugo puede ayudarle a incrementar su nivel de energía y vencer el cansancio producido por situaciones estresantes. Aliste media lechuga batavia, tres tallos de apio y dos tomates, ojalá cultivados sin presencia de agentes químicos. Puesto que los tomates son tratados a menudo con estas sustancias, conviene quitarles la cáscara sumergiéndolos un instante en agua hirviendo. Procese cada verdura por separado, mezcle en un vaso o jarra de vidrio y revuelva con una cuchara no metálica.

LIMÓN

• *Limonada multiusos.* Como en el caso de la naranja, el limón se puede exprimir mecánicamente o con la mano. Sin embargo, la licuadora resulta muy útil si conserva la membrana blanca (no la cáscara), porque se aprovechan mejor sus cualidades. Conviene no abusar de la deliciosa limonada y consultar con un médico antes de usar el limón como terapia si se sufre de enfermedades artríticas.
• *Receta de la abuela para el dolor de garganta.* Extraiga el jugo de dos limones jugosos de buen tamaño. Caliente en un recipiente aparte (no metálico) medio vaso de agua y aliste un poco de miel. En una taza ponga el limón con una cucharada sopera de miel y vierta encima el agua. Mezcle los tres ingredientes.

MANDARINA

• *Para prevenir infecciones, hipertensión, gripas y ciertas enfermedades del corazón.* Esta fruta, además de sedante, contiene buenas cantidades de bioflavonoides, como sus otros parientes cítricos (consulte la página 66). También facilita la eliminación de ciertos lípidos del organismo. Pele la fruta pero conserve la membrana blanca que recubre la pulpa porque ella tiene grandes propiedades. Prepare el jugo en una licuadora convencional y cuélelo para retirar las semillas. Bébalo una vez preparado y no lo refrigere para retener todas sus sustancias curativas.

Para el dolor de cabeza. Esta preparación es deliciosa al paladar y provee al organismo de vitamina C y otros nutrientes. Para obtener un vaso de unos 230 ml, se necesitan tres mandarinas y dos guayabas. Lave bien las guayabas y pele las mandarinas procurando conservar al máximo la membrana blanca interior. Corte las guayabas y póngalas junto con las mandarinas en la licuadora. Haga el jugo concentrado o, si lo prefiere, añada un poco de agua. Tres vasos al día le ayudarán con su problema.

MANGO

• *Bebida para favorecer la curación de las heridas y reforzar las defensas del organismo.* Recuerde que estas frutas deben estar bien maduras, aunque no pasadas, para obtener todos sus nutrientes. Puede utilizar un mango grande o dos pequeños, según el tamaño. Lávelos muy bien y corte en trozos las frutas para separar la pulpa de la semilla. Utilice la cáscara, pues ella contiene sustancias muy valiosas. Ponga en la licuadora los pedazos de pulpa y agregue un poco de agua. Luego, cuele. Tenga presente que, a veces, la cáscara produce reacciones alérgicas en algunas personas. Si observa que al pelar la fruta usted desarrolla alguna reacción, absténgase de utilizar esta bebida.

• *Mezcla para combatir la artritis.* Este jugo puede ayudar a aliviar los síntomas de esta dolorosa y molesta enfermedad. Para elaborar un vaso se requiere un mango grande (o dos o tres pequeños) y media piña sin cáscara. Lave bien la fruta, pélela y extraiga la semilla del mango y el corazón de la piña. Corte ambas frutas en pedazos para facilitar la labor de la licuadora. Es importante que la preparación de los jugos se haga por separado y se mezclen sólo al final, en una jarra de vidrio, donde se deben revolver con una cuchara que no sea metálica.

MANZANA

▪ *Bebida limpiadora del organismo, que combate el estreñimiento, la artritis y ayuda a bajar el colesterol.* Este delicioso jugo resulta provechoso para muchos males relacionados con la digestión. También es un buen aliado de quienes quieren bajar de peso naturalmente y limpiar además su organismo. Utilice manzanas cultivadas orgánicamente y que no hayan sido tratadas con cera para conservarlas durante el transporte. Puede buscar algún tipo de manzana cultivada en su región y que, por tanto, esté libre de cualquier tratamiento químico. Si sospecha que la manzana ha sido encerada y desea a toda costa utilizarla, conviene entonces retirar la cáscara. Sin embargo, una de las partes más provechosas de esta fruta es la piel, que contiene muchos nutrientes. Tome cuatro manzanas y lávelas muy bien (si es necesario, pélelas), retire las semillas, córtelas en trozos. Ponga la fruta con un poco de agua en la licuadora y procese. Para evitar que el jugo se oxide y mantenga su color, puede agregar unas gotas de limón.

▪ *Para calmar el sistema digestivo y aliviar la diarrea.* En enfermedades como la diarrea es muy importante vigilar y suministrar cantidades de líquidos. Los jugos de fruta son una alternativa para superar esta condición molesta. Si se trata de un episodio agudo y prolongado, debe consultar rápidamente con un médico. Para elaborar un vaso de jugo necesita una manzana grande (pelada si no es cultivada orgánicamente) y media taza de agua. Tome esta bebida varias veces al día o acompáñela con otros jugos de fruta o verdura.

MARACUYÁ

▪ *Sedante natural que combate el ácido úrico.* Este jugo también ha sido utilizado por algunos para ayudar al funcionamiento del intestino y al sistema urinario en general. Seleccione unos buenos maracuyás según el peso y el tamaño. Los mejores no deben, además, tener la cáscara lisa. Corte la fruta a la mitad y ponga todo su contenido en la licuadora. Añada agua (más o menos tres maracuyás por taza y media de agua), ponga la licuadora a funcionar en la mínima velocidad por unos cuantos segundos y observe si las semillas se han desprendido del resto de la pulpa. Si es necesario repita la operación pero evite pulverizar la semilla. Cuele después y si no tiene problemas con el azúcar, endulce ligeramente con miel o azúcar moreno.

MELÓN

• *Tónico digestivo amigo de los deportistas*. Fuente de agua y nutrientes, el melón se ha considerado apropiado para incluir en la dieta de personas que sufren de cáncer. De igual forma, es una fruta recetada por los pediatras a los niños pequeños. Para seleccionar un buen melón confíe en su olfato; aquella fruta que no exhale un agradable aroma por lo general tiene poco sabor. Una buena precaución para asegurarse de que el cuchillo no contamine la pulpa, consiste en lavar el melón antes de cortarlo. En seguida, retire la cáscara, córtelo en trozos y vierta en la licuadora. Si lo desea, puede agregar un poco de miel para que la bebida tenga una textura más consistente. También puede agregar unas gotas de limón para ayudar a eliminar el exceso de ácido úrico que pueda tener. Si se va a utilizar en niños pequeños, conviene que el pediatra señale el momento oportuno y vigilar la tolerancia del pequeño a la fruta.

• *Retención de líquidos*. Este jugo podría llamarse también dulzura de potasio, por su alto contenido en este importante mineral. Para prepararlo necesita 1/4 de melón y un banano pelado. Recuerde lavar el melón antes de procesarlo. Haga primero el jugo de melón y luego el de banano en trozos para facilitar el trabajo de licuado. Procure seguir una dieta baja en sal.

• *Mezcla para combatir la celulitis.* Esta bebida resulta efectiva si se acompaña de una dieta adecuada y ejercicio regular. Utilice en la preparación medio melón con cáscara (recuerde lavarlo muy bien) y entre cinco y seis fresas. Todo se pone junto en la licuadora.

MORA

• *Astringente que ayuda a aliviar la diarrea.* Compre moras de color rojo profundo y libres de magulladuras, ya que una dañada acaba por estropear a las demás. Se recomienda utilizarlas muy frescas, pues son de difícil conservación. Por lo general, en los supermercados se consiguen canastillas que rinden para más o menos dos a tres vasos de jugo. Lávelas bien, quíteles las hojas verdes del extremo superior y póngalas en la licuadora con uno o dos vasos de agua. Cuele después y no deje pasar mucho tiempo antes de beber.

• *Bebida aliada de las uñas.* Para preparar este jugo necesita 125 gramos de moras, igual cantidad de fresas y una manzana. Lave muy bien la fruta y pele la manzana si sospecha que ha sido encerada o tratada para su conservación y retire el corazón y las semillas. Prepare el jugo de cada fruta por separado y cuando los tenga listos, mézclelos en una jarra de vidrio. Si lo desea, diluya un poco la preparación con agua. Puede beberlo dos veces al día y combinarlo a lo largo de la semana con otros jugos ricos en zinc y hierro.

NARANJA

• *Coctel de nutrientes.* El jugo de naranja es uno de los más comunes en las mesas del desayuno de todo el mundo. No sólo es fuente de vitamina C, sino que abunda en nutrientes y compuestos que favorecen la buena salud. Su elaboración es muy simple, pues usted puede recurrir al exprimido manual o eléctrico de cítricos. Sin embargo, vale la pena preparar esta bebida en la licuadora, donde pondrá la pulpa con la membrana blanca que la envuelve pero sin la cáscara. También es importante no dejar pasar mucho tiempo entre la preparación del jugo y su consumo, puesto que sus elementos nutritivos y curativos son muy sensibles al aire y la luz. Por las mismas razones, tampoco conviene poner a enfriar esta bebida en la nevera. Algunas personas resultan sensibles a este jugo y les provoca cierta acidez o sensibilidad en el tracto digestivo. Vigile las reacciones de su organismo.

• *Delicia de naranja para la bursitis.* Este jugo, lleno de bioflavonoides, seguramente le ayudará a alejar el dolor de las articulaciones. Requiere entre dos y tres naranjas sin cáscara pero con la membrana blanca interior. Utilice también media manzana pelada (si no es orgánica), sin corazón ni semillas. Puede poner ambas frutas en la licuadora y obtener un jugo nutritivo y curativo. Tome este jugo tres veces al día.

PAPAYA

• *Nutritiva y digestiva.* Este jugo se utiliza como laxante, estimulante del apetito, limpiador de los riñones, del hígado y de los intestinos. Recuerde utilizar la fruta madura, que luzca una cáscara de color naranja o amarillo y que al tacto se sienta tierna. En la elaboración de este jugo no se utilizan las semillas ni la cáscara. Una papaya pequeña debe combinarse con la cantidad de agua que permita obtener un jugo algo denso.

• *Batido para las úlceras.* Acompañe una dieta adecuada con jugo de repollo y este excelente combinado de frutas. Necesita media naranja pelada pero con la membrana blanca, media papaya pelada y sin semillas, un banano sin cáscara. Debe licuar la naranja y la papaya por separado. Procese el banano de forma que le quede una pasta suave y luego mezcle los tres ingredientes. También puede poner el banano en la licuadora y añadir el jugo de las otras dos frutas. Aunque no necesariamente, en ocasiones esta receta requiere un poco de agua para facilitar el triturado de la fruta.

PEPINO COHOMBRO

• *Bebida desintoxicante y tónico de la piel.* Este jugo es muy provechoso para ayudar a eliminar ciertas toxinas que se acumulan en el organismo. A la vez, brinda brillo al cabello, nutre la piel y posee un efecto rejuvenecedor sobre el organismo. Para elaborar este jugo seleccione dos pepinos medianos que se palpen

tiernos y den la impresión de estar a punto de estallar. Lávelos bien (puede cepillarlos con agua y jabón) y séquelos cuidadosamente. Pique en trozos medianos esta verdura y ponga en la licuadora.
• *Manchas en la piel. Estas* manchas, que suelen aparecer cuando somos abuelos, en general son causadas por una mala dieta, exceso de sol, mal funcionamiento de hígado y poco ejercicio. Para combatirlas, consuma el jugo de medio pepino cohombro con cáscara (debe lavarlo con agua y jabón), media manzana sin corazón ni semillas y dos tajadas de piña. Lo ideal es utilizar un procesador que triture estas frutas y les extraiga las sustancias.

PERA

• *Laxante natural y depurativo, ayuda a bajar de peso y combatir la hipertensión.* Escoja peras maduras, de textura firme y que

luzcan tonos verde, dorado o rojo profundo. Si están un poco
verdes déjelas madurar antes
de hacer el jugo. Lave muy bien
cuatro peras y pártalas para retirarles el corazón. Luego proceda
a licuarlas con muy poca agua.

• *Jugo depurativo.* Para elaborar
dos vasos de jugo necesita dos
peras, dos rodajas de piña y dos
manzanas. Después de lavar las
peras y manzanas debe retirarles el corazón y las semillas.
También a la piña, además de la
cáscara, hay que despojarla del
corazón, que suele "pelar" la
lengua. Corte en trozos la fruta
y proceda a licuar juntas las peras y las manzanas con un poco
de agua. Cuele la preparación
en una jarra de vidrio y agregue
los trozos de piña. Es una bebida original con gran poder depurador del organismo.

PIMENTÓN

• *Problemas de la visión, cataratas*
(pimentón rojo). Esta verdura
suele ser encerada por quienes
transportan alimentos para conservarla mayor tiempo. Por eso
es necesario lavar muy bien para
asegurarse de eliminar todo rastro de cera, o quitarle la piel, para lo cual se debe cocinar. Sin
embargo, la mejor garantía es
adquirir esta verdura en lugares
donde se ofrezcan verduras cultivadas biológicamente. Una
vez la verdura está lavada (cal-
cule unos 12 pimentones por
vaso de jugo), se corta en pedazos, se añade un poco de agua y
se procesa en la licuadora. Este
jugo, por su sabor peculiar, puede combinarse con otros jugos
de verduras, más intensos.

• *Un aliado contra el cáncer* (pimentón verde). Al igual que el
pimentón rojo, debe proceder de
un cultivo seguro, especialmente si se va a usar en alguna terapia. Procedimiento y cantidades
son iguales al caso anterior.

PIÑA

• *Bebida para la digestión.* Recuerde que indigestión o dispepsia son determinados malestares que acompañan los trastornos del tracto digestivo. Este remedio procura alivio pero tenga presente que es importante identificar la causa y tratarla. Si la indigestión persiste, consulte a su médico. Lave muy bien la piña porque en este jugo se utiliza la cáscara. Reserve 1/4 de piña licuada con un poco de agua. Beba este jugo como único líquido para acompañar las comidas.

• *Delicia depurativa.* Esta combinación de frutas limpia el organismo. Para hacer unos tres vasos de jugo, que puede tomar a lo largo del día, necesita una piña mediana, un melón pequeño y azúcar moreno, si no tiene problemas con los edulcorantes. Lave el melón aunque no vaya a utilizar la cáscara y haga lo mismo con la piña. Pele las frutas, procéselas en la licuadora (sin agua) por separado y filtre el jugo de piña. Por último, aliste una jarra de vidrio con el azúcar (no abuse de la cantidad) y vierta allí los jugos. Mezcle bien con una cuchara que no sea de metal.

PUERRO

• *Antiséptico interno para el estreñimiento, tónico de los nervios y antigripal.* Escoja un puerro que se vea recto, sin engrosamientos y coronado por hojas de color verde oscuro. El tallo debe palparse consistente y ofrecer un deslumbrante color blanco. Lave muy bien el puerro para liberarlo de impurezas. Córtelo en tiras a lo largo y póngalo en la licuadora con un poco de agua.

RÁBANO

• *Problemas digestivos por insuficiencia de bilis.* Escoja rábanos orgánicos, de color rojo y que se palpen firmes. Si vienen con hojas fíjese en su aspecto, pues constituyen otro indicador de frescura. Lávelos cuidadosamente, córtelos en varios pedazos y póngalos en la licuadora hasta obtener un jugo concentrado. Fíltrelo y bébalo fresco. Con una cantidad de 50 a 100 g (según el tamaño), obtendrá un vaso de jugo.

REMOLACHA

▪ *Tónico, reconstituyente, purificador del organismo.* La remolacha es una increíble limpiadora y reconstructora de la sangre. El jugo fresco de esta verdura combina especialmente bien con jugos de manzana, zanahoria y pepino cohombro. Compre remolacha orgánica, cuya superficie luzca firme, lisa y roja. Prefiera las de tamaño mediano y que traigan hojas resistentes y llenas de vida, porque indican que la remolacha es de buena calidad. Utilice unas cuatro remolachas pequeñas y después de lavarlas bien y retirar las hojas,

póngalas cortadas en pedazos en la licuadora. Si lo considera, añada un poco de agua.

▪ *Jugo multivitamínico.* Compre 1/4 de kilo (250 g) de remolacha, seis hojas de espinaca fresca y dos zanahorias grandes. Prepare los jugos por separado para después mezclarlos en una fuente de vidrio. La limpieza es otro punto clave del éxito de estos jugos, así como la procedencia y forma de cultivo de sus ingredientes. Utilice este jugo máximo dos veces al día.

REPOLLO

▪ *Limpiador efectivo, bactericida y antiulceroso.* Esta verdura posee muchas cualidades y es usada en un amplio número de padecimientos y enfermedades, entre las que se encuentra el cáncer. Seleccione un repollo con las hojas sanas y cuyo tronco no luzca seco y partido, ni pegajoso y de consistencia leñosa. Debe, además, palparse firme.

Compre un ejemplar cultivado biológicamente y elimine las hojas exteriores. Lave la verdura, córtela por la mitad y luego en trozos, a fin de licuarla con un poco de agua. Conviene consultar a su médico si está utilizando alguna droga antes de recurrir a este jugo como tratamiento, que debe consumirse con precaución pues produce flatulencias que pueden ser atenuadas, así como su sabor, si se mezcla con jugo de zanahoria.

■ *Jugo para el guayabo o resaca.* Puede beber este jugo hasta tres veces al día mientras sufre ese horrible malestar. Haga tres jugos (que al final mezclará en una jarra de vidrio) con seis hojas de repollo (col rizada), dos zanahorias grandes y 1/4 de pepino (muy bien lavado).

■ *Mezcla para apaciguar los estados nerviosos.* Al igual que con el jugo anterior, estas cantidades sirven para obtener un vaso de jugo de 230 ml. Use, de nuevo, seis hojas de repollo (col rizada), dos tomates sin piel (si no son orgánicos) y un tallo de apio. Extraiga el jugo de cada verdura por separado y mezcle al final en un recipiente de vidrio.

■ *Menos kilos y más energía.* Este jugo es buena compañía de una dieta saludable (sugerida por un nutricionista) y un programa de ejercicios. Requiere un repollo y ocho zanahorias. Limpie bien las verduras, quite las hojas superficiales del repollo y pele las zanahorias. Corte en trozos las verduras y proceda a licuarlas por separado, con poca agua. El jugo obtenido de cada vegetal lo debe mezclar al final en un recipiente de vidrio.

SANDÍA

■ *Para combatir el exceso de ácido úrico.* Quienes sufren gota, artritis y otros padecimientos relacionados con el exceso de ácido úrico, pueden recurrir a este delicioso jugo. Para elaborarlo se requiere que la fruta esté bien madura. Utilice la pulpa interna y deseche la cáscara. Ponga los pedazos de sandía con las semillas en la licuadora y tritúrelos. Como se trata de una fruta muy jugosa, no es necesario agregar agua. Por último, cuele la preparación y beba un vaso pequeño dos veces al día.

▪ *Ideal para quienes padecen problemas de la piel.* Por lo general, la existencia de ácidos en la sangre se manifiesta con erupciones cutáneas. En ocasiones esto se debe a una dieta rica en productos cárnicos, comida "chatarra", dulces y un consumo excesivo de bebidas gaseosas. El jugo de sandía contribuye a eliminar ese ácido del organismo y estimula la renovación de la sangre. Después de consumir este jugo la piel comenzará a lucir y estar mejor.

TOMATE

▪ *Jugo para la debilidad y estimulante del apetito.* Para que este jugo sea efectivo debe estar seguro que los tomates utilizados provengan de cultivos biológicos. Por lo general, los tomates que se venden en la mayoría de los supermercados han sido encerados y este tratamiento cambia su valor curativo. Si sólo consigue tomates encerados, absténgase de hacer este jugo. Lave muy bien los tomates, parta cada uno en cuatro pedazos y póngalos en la licuadora; si lo considera necesario, agregue un poco de agua. También puede poner unas gotas de limón. Algunos autores advierten que quienes sufren de reumatismo deben abstenerse de consumir esta bebida sin consultar su médico.

▪ *Un toque de vitalidad.* Cuando se sienta cansado y falto de energía, puede echar mano de este jugo que inyecta vitalidad. Para prepararlo necesita hacer un jugo de tomate orgánico al que le añadirá una pizca de pimienta de Cayena (también conocido como ají picante o chili). Debe esmerarse en que se mezclen estos dos ingredientes que, además, revitalizarán al organismo en general.

- *Mezcla ocular.* Rico en vitaminas, este jugo beneficia la salud de los ojos. Utilice tres tomates orgánicos, un manojo de berros y medio pimentón rojo. Haga con cada verdura un jugo por separado y agregue un poco de agua a los berros y al pimentón, si va a usar la licuadora. Después mezcle en un vaso los tres zumos de verdura y revuelva con un cubierto apropiado.

ZANAHORIA

- *Tónico general y aliado de la visión, la piel, el cabello y las uñas.* El jugo de zanahoria es, quizás, el rey de los jugos de verduras. Constituye una maravillosa fuente de betacaroteno y un poderoso antioxidante, utilizado en la prevención de muchos padecimientos así como en la recuperación de enfermedades. Se usa solo o en combinación con otros vegetales de sabores amargos o

fuertes. Seleccione zanahorias firmes al tacto y de color naranja oscuro. Unas siete zanahorias medianas, dan un vaso de jugo. Lave muy bien la verdura, quítele las partes verdes y pélela procurando extraer sólo la capa superficial, porque en la capa exterior están concentradas las propiedades curativas. Corte la zanahoria en trozos, póngala en la licuadora con un poco de agua y tritúrela. El jugo debe beberse en seguida, sin dejarlo almacenado en la nevera o expuesto por demasiado tiempo al aire libre.

- *Para quienes sufren de insomnio.* Necesita tres o cuatro zanahorias (entre 130 y 175 gramos) y un saludable tallo de apio sin hojas. Lave muy bien la verdura y prepare los jugos de ambos vegetales por separado. Una vez hechos, mézclelos lentamente en una jarra de cristal. Es importante que no utilice para revolver los jugos cucharas o utensilios de metal. Beba este jugo una hora antes de irse a la cama.

Guía por padecimientos y partes del cuerpo

Guía por padecimientos y partes del cuerpo

Esta guía le ayudará a buscar la planta que más se ajuste a su necesidad. Está ordenada alfabéticamente e incluye las propiedades de frutas y verduras, enfermedades y partes del cuerpo. Debe utilizarse como un apoyo en la búsqueda y no como un resumen de los males y sus tratamientos. Si usted localiza un área para investigar, conviene que lea la información sobre la planta antes de hacer cualquier tratamiento. Recuerde que esta lista es general y cobija en un solo concepto diversas posibilidades.

Muchas plantas incluyen una receta básica que puede utilizarse para varios propósitos. Otras, en cambio, ofrecen preparaciones para un padecimiento específico. Lea todo lo relacionado con las propiedades y usos de la planta antes de elaborar un remedio casero y utilice frutas y verduras solas o con agua para facilitar la labor de licuado. Sin embargo, algunas preparaciones involucran varios ingredientes. Si desea ensayar una receta propia, recuerde que conviene mezclar las frutas entre sí y las verduras con otras verduras. Evite combinar frutas y verduras.

GUÍA DE NOMBRES COMUNES Y CIENTÍFICOS

NOMBRE	NAME	NOMBRE CIENTÍFICO
Aceituna	Olive	Olea europaea
Ajo	Garlic	Allium sativum
Apio	Celery/Smallage	Apium graveolens sativum
Banano	Banana	Musa sapientum
Berro	Watercress	Nasturtium officinale
Brócoli	Broccoli	Brassica oleracea
Calabacín	Zucchini squash	Cucurbita pepo spp. convar. giromontiina
Calabaza	Pumpkin	Cucurbita maxima
Cebolla	Onion	Allium
Espinaca	Spinach	Spinacia oleracea
Fresa	Strawberry	Fragaria chiloensis
Granadilla	Passion fruit	Passiflora linguralis
Guanábana	Custard apple/ Sour soup	Annona muricata
Guayaba	Guava	Psidium guajava
Hinojo	Fennel	Foeniculum vulgare

Kiwi	Kiwi	Actinidia sinensis
Lechuga	Lettuce	Lactuca sativa
Limón	Lemon	Citrus limonum
Mandarina	Tangerine/Mandarin	Citrus reticulata
Mango	Mango	Mangifera indica
Manzana	Apple	Malus communis
Maracuyá	Passionfruit	Passiflora edulis
Melón	Melon/Cantaloupe	Cucumis melo
Mora	Mulberry	Rubus glaucus
Naranja	Orange	Citrus
Papaya	Papaya/Pawpaw	Carica papaya
Pepino cohombro	Cucumber	Cucumis sativus
Pera	Pear	Pyrus communis
Pimiento	Sweet pepper	Capsicum annuum (dulce)
Piña	Pineapple	Ananas comosus
Puerro	Leek	Allium porrum
Rábano	Radish/Small radish	Raphanus sativus var. sativus
Remolacha	Beet/Beetroot	Beta vulgaris
Repollo	Cabagge	Brassica oleracea var. capitata
Sandía	Watermelon	Citrullus vulgaris
Tomate	Tomato	Lycopersicum esculentum
Zanahoria	Carrot	Daucus carota

GLOSARIO

Absorción: proceso mediante el cual el cuerpo toma los nutrientes del tracto intestinal y los lleva al torrente sanguíneo para su uso.

Ácido: compuesto presente en los tejidos de las plantas (particularmente en las frutas) que impide la secreción de los líquidos y evita la contracción de los tejidos. Son nueve los más importantes: acético, ascórbico, cítrico, hialurónico, clorhídrico, láctico, retinoico, sórbico y sulfúrico.

Aminoácido: sustancia orgánica necesaria para la formación de proteínas. Los esenciales son aquellos que el organismo no puede producir por sí mismo y debe obtener por medio de los alimentos.

Analgésico: componente cuya principal propiedad es calmar el dolor.

Anemiatrastorno: que aparece cuando hay una cantidad demasiado baja de glóbulos rojos o porque en ellos existe deficiencia de hemoglobina.

Antibiótico: factor capaz de eliminar gérmenes patógenos.

Anticuerpo: sustancia defensiva creada en el organismo por la introducción de microbios o productos microbianos de células o humores que provienen de un sujeto de especie diferente.

Antiespasmódico: elemento que evita o mitiga espasmos y calambres musculares.

Antiinflamatorio: factor que reduce la inflamación y calma el dolor.

Antioxidante: sustancia que reduce los daños producidos por los radicales libres.

Antiséptico: componente que desinfecta, detiene o previene las infecciones.

Arteriosclerosis: trastorno caracterizado por unas placas amarillosas y calcíficas, lípidos y desechos celulares que se depositan en las capas interiores de las paredes de las arterias grandes y medianas.

Astringente: sustancia que disminuye la secreción del cuerpo en la zona donde se aplica. Es usual como cicatrizante externo.

Bacteria: germen microscópico. Algunos pueden ser dañinos y producir enfermedades, mientras que otros son benignos y protegen al cuerpo contra organismos invasores.

Baya: fruto con partes externa e interna (exocarpio y endocarpio) membranosas, y parte media (mesocarpio) carnosa o jugosa, provista de semillas en abundancia.

Béquico: apropiado para tratar la tos.

Betacaroteno: nombre que recibe la vitamina A de fuentes vegetales.

Bilis: sustancia liberada por el hígado en los intestinos para la digestión de las grasas.

Carminativo: vegetal apropiado para eliminar gases y aliviar cólicos.

Caroteno: sustancia que el organismo convierte en vitamina A a partir de un pigmento amarillo de diversas formas (como alfa, beta y gama-caroteno).

Catártico: vegetal que posee acción purgante.

Celulosa: cuerpo sólido, blanco, insoluble en el agua, que forma la membrana envolvente de las células vegetales.

Coenzima: molécula de calor estable, necesaria para que ciertas enzimas desarrollen su función y para que el cuerpo pueda utilizar las vitaminas y los minerales.

Colagogo: purgante que provoca la secreción de la bilis.

Colesterol: materia parecida a las grasas, presente en la sangre y en la mayoría de los tejidos. Ciertos niveles de colesterol en la sangre pueden dañar las paredes arteriales.

Contusión: magulladura o lesión que no rompe la piel.

Demulcente: elemento que alivia la irritación de los tejidos.

Depurativo: proceso que alienta al cuerpo a desechar los residuos.

Desintoxicación: acción mediante la cual el cuerpo se purga de toxinas, por ejemplo, con ayuno.

Diaforético: factor que dinamiza la circulación sanguínea hacia la superficie del cuerpo, provoca sudor y disminuye la presión de la sangre.

Diurético: estimulante para inducir el aumento rápido de la cantidad de orina.

Eccema: enfermedad de la superficie cutánea que puede presentarse seca, húmeda o pruriginosa.

Emenagogo: elemento que provoca la menstruación.

Emético: agente que provoca vómito.

Emoliente: medicamento que disminuye la inflamación de los tejidos y reduce la picazón, el enrojecimiento y las inflamaciones.

Endorfina: sustancia similar a la morfina que el cuerpo produce en forma natural para aliviar el dolor, llamada narcótico natural del cuerpo.

Espasmolítico: relajante de las contracciones musculares.

Estimulante: elemento que favorece la secreción de jugos gástricos.

Estomáquico: estimulante que actúa sobre la mucosa gástrica.

Estrógeno: una de las dos hormonas sexuales femeninas.

Expectorante: sustancia que favorece la secreción bronquial y vuelve más líquidas las flemas.

Enzima: proteína producida por las células del organismo, que actúa como catalizador para acelerar la reacción biológica. Las enzimas resultan esenciales para que el cuerpo funcione con salud.

Fructosa: azúcar de las frutas.

Glucógeno: hidrato de carbono que se encuentra en el hígado, en los músculos y en varios tejidos, así como en los hongos y otras plantas criptógamas.

Glucosa: azúcar de color blanco que se halla disuelto en muchas frutas, en el plasma sanguíneo normal y en la orina de los diabéticos.

Hemoglobina: molécula necesaria para que los glóbulos rojos puedan transportar el oxígeno. Su componente principal es el hierro.

Hepáticas: planta que previene daños al hígado.

Herbácea: planta que tiene la misma naturaleza de la hierba.

Hipertensión: tensión arterial anormalmente alta.

Hormona: producto de secreción interna de ciertos órganos que excitan, inhiben o regulan la actividad de los órganos.

Hueso: parte dura interior que contiene la semilla de algunas plantas (por ejemplo, el melocotón).

Inflorescencia: conjunto de flores no aisladas sino agrupadas sobre las ramificaciones de la planta.

Insulina: hormona vital producida por el páncreas. Su función es la de regular el metabolismo del azúcar en el cuerpo.

Laxante: elemento que promueve la evacuación suave del intestino.

Membranas mucosas: membranas que recubren las cavidades y canales del cuerpo expuestos al aire, como las de la boca, nariz, ano y vagina.

Metabolismo: conjunto de procesos químicos que tienen lugar en el organismo.

Neurotransmisor: cualquier sustancia química que transmita los impulsos nerviosos entre las neuronas del cerebro y los nervios.

Nutriente: sustancia necesaria para que las células se mantengan vivas.

Nutrimento: componente nutritivo o alimenticio.

Pectina: junto con la celulosa, es un componente de la membrana celular de muchas plantas.

Perenne: árbol que mantiene las hojas todo el año.

Radicales libres: moléculas de corta vida que pueden dañar las células del cuerpo. Los aceites calientes y rancios activan los radicales libres, así como la radiación atmosférica.

Sedante: calmante, especialmente nervioso.

Tanino: sustancia astringente que se encuentra en ciertas plantas.

Tónico: elemento apropiado para vigorizar el cuerpo.

Toxina: veneno ambiental y producto de desecho producido por los organismos.

Vasodilatador: droga que provoca el ensanchamiento de los vasos sanguíneos y el consiguiente aumento del flujo de la sangre; suele usarse para bajar la tensión.

Vermífugo: compuesto que mata las lombrices.

Vesicante: sustancia que produce ampollas en la piel.

Virus: agente infeccioso más pequeño conocido, capaz de reproducirse pero sólo en células vivas.